Educar filhos

CIP-BRASIL. CATALOGAÇÃO NA PUBLICAÇÃO
SINDICATO NACIONAL DOS EDITORES DE LIVROS, RJ

P89e
Posternak, Leonardo
    Educar filhos : entre a renúncia e a urgência / Leonardo Posternak. - São Paulo : Ágora, 2020.
    104 p.

    Notas
    ISBN 978-85-7183-253-4

    1. Pais e filhos. 2. Educação de crianças. I. Título.

20-62229   CDD: 649.12
                                            CDU: 649.1

Leandra Felix da Cruz Candido - Bibliotecária - CRB-7/6135

www.editoraagora.com.br

Compre em lugar de fotocopiar.
Cada real que você dá por um livro recompensa seus autores
e os convida a produzir mais sobre o tema;
incentiva seus editores a encomendar, traduzir e publicar
outras obras sobre o assunto;
e paga aos livreiros por estocar e levar até você livros
para a sua informação e o seu entretenimento.
Cada real que você dá pela fotocópia não autorizada de um livro
financia o crime
e ajuda a matar a produção intelectual de seu país.

Educar filhos

Entre a renúncia e a urgência

Leonardo Posternak

Editora Ágora

EDUCAR FILHOS
Entre a renúncia e a urgência
Copyright © 2020 by Leonardo Posternak
Direitos desta edição reservados por Summus Editorial

Editora executiva: **Soraia Bini Cury**
Assistente editorial: **Michelle Campos**
Capa: **Buono Disegno**
Imagem de capa: **Shutterstock**
Projeto gráfico: **Crayon Editorial**
Diagramação: **Santana**

Editora Ágora
Departamento editorial
Rua Itapicuru, 613 – 7º andar
05006-000 – São Paulo – SP
Fone: (11) 3872-3322
Fax: (11) 3872-7476
http://www.editoraagora.com.br
e-mail: agora@editoraagora.com.br

Atendimento ao consumidor
Summus Editorial
Fone: (11) 3865-9890

Vendas por atacado
Fone: (11) 3873-8638
Fax: (11) 3872-7476
e-mail: vendas@summus.com.br

Impresso no Brasil

Este livro trata do que é nominável...
A morte de um filho é inominável.

A Thiago, meu filho, que é passado sempre presente.
A Luana, minha neta, que é presente se tornando futuro.

❧

Aviso aos prováveis leitores:

este não é um livro de autoajuda, nem um código de leis moralizantes, muito menos um compêndio de sábios conselhos. Caso estejam procurando algo desse tipo, aconselho-os a devolvê--lo à prateleira. A presente obra é questionadora, instiga a pensar. E pode provocar certo desconforto.

Sumário

❧

1. **Por que mais um livro sobre educação dos filhos?** 11
   Nem receitas prontas, nem mocinhos e bandidos 11
   Procurar só em locais iluminados pode ser um erro 16
   Educar pelo exemplo 17
   Helen Keller e sua metáfora educativa 18
   Moral das histórias 19
   O poeta Manoel de Barros nos convida a continuar a leitura .. 20

2. **Ler os clássicos para conhecer coisas novas** 21
   A educação no tempo dos astecas 21
   A época do nazismo e do herói Janusz Korczak 23
   Meu pai educador: entre o machismo e o matriarcado 25

3. **O enredo, os atores e o palco da novela
   da educação familiar** 31
   A família 32
   As funções materna e paterna 37
   A criança contemporânea 39
   Aprofundamento sobre a sociedade líquido-moderna 44
   O círculo nada virtuoso entre a sociedade e a infância 49

4. Os percalços evolutivos e amorosos da criança a educar ... 53
Crises previsíveis do crescimento e o Édipo 53
Educação, família e escola 62
Cultura, ética e liberdade na criança e na família 69
Brincadeiras, brinquedos, narrativas e o sujeito 71
Narrativas e histórias familiares 79

5. Aspectos contrários e em oposição com a educação dos filhos 83
Infância, mercado, consumo e subjetividade 83
A sabotagem da família à construção de uma
cidadania possível 86

6. O coração do livro: amor e respeito embutidos no "não" .. 91
Enquadre teórico de "como dizer 'não' a uma criança" 91
O "não" no cotidiano da prática educativa 95
Finalmente... O final (não é um epílogo) 98

1. Por que mais um livro sobre educação dos filhos?

⁂

Sou o poeta da mulher tanto quanto do homem,
E digo que é tão bom ser mulher quanto ser homem,
E digo que não há nada melhor que a mãe dos homens.
Walt Whitman, "Canção de mim mesmo"[1]

Nem receitas prontas, nem mocinhos e bandidos

Existe nas livrarias uma infinidade de livros sobre a educação de filhos, mas nem por isso esse tema tão candente é inédito. A fim de constatar esse fato, vejamos os seguintes parágrafos:

A. "Nossa juventude está estragada até o fundo do coração... Os jovens são malfeitores e preguiçosos. Eles jamais serão como a juventude de antigamente, nem conseguirão manter viva a nossa cultura."
B. "Nosso mundo atingiu seu ponto crítico. Os filhos não ouvem mais os pais. O fim do mundo não está muito longe!"
C. "Não tenho mais esperança no futuro de nosso país se a juventude de hoje tomar o poder amanhã, pois ela é insuportável, desenfreada, simplesmente horrível!"
D. "Nossa juventude adora o luxo, é mal-educada, caçoa da autoridade e não tem respeito pelos anciãos. São tiranos!"
E. "Escrevi sobre educação porque amiúde me consultam pais que não sabem educar seus filhos. Por outro lado, a juventude é corrupta. É um tema universal de lamentações."

A seguir, listarei os autores dessas frases lapidares e a cronologia dos fatos, a saber:

Frase A: encontrada em um vaso de argila na Babilônia. Tem 4 mil anos.
Frase B: escrita por um sacerdote no ano 2.000 a.c.
Frase C: escrita por Hesíodo em 720 a.c.
Frase D: dita por Sócrates entre 470 e 399 a.c.
Frase E: escrita por John Locke em 1693. É moderníssima!

São exemplos concretos do pensamento rígido, estereotipado e, pelo visto, inoperante, sobre os filhos e a educação, que abarca da Antiguidade aos nossos dias.

Sou otimista. Assim, creio que daqui a 400 anos esses debates ficarão obsoletos e caduquem. A minha esperança é que pelo menos as crianças e os jovens sejam inocentados de seus "crimes" e possam gozar da liberdade.

Mas parece que em todas as épocas foi difícil discutir esse tema com profundeza e seriedade; sempre se repetiu o mantra das crianças transviadas e dos jovens corruptos, sem nenhuma originalidade. É um assunto que me apaixona há muito tempo, como corpo teórico de conhecimento e também por ser uma queixa cotidiana das famílias em nossos consultórios, travestida na forma de uma pungente pergunta: "E agora, o que fazemos?" Freud, em sua época, já respondeu: "Continuem errando, já que educar filhos é impossível!"

No meu caso, sem a experiência nem o gabarito do professor, inclino-me a ouvi-los, acolhê-los e pensar com eles para fazer surgir os questionamentos necessários e cabíveis, sem "puni-los" nem desqualificá-los – criando assim um ambiente de cooperação. Quando lembro, repito-lhes uma frase que circula pela internet e vai ao encontro de suas queixas: "Pedras no caminho? Guardo todas. Um dia vou construir um castelo".

Na hora de escrever, vem à minha memória um pensamento do grande poeta Fernando Pessoa, pelo qual já peço desculpas por adaptar: "Educar é preciso, viver não é preciso". Fui criança e fui educado, logo me tornei pai e eduquei meus filhos, com os quais errei e acertei.

------(*Educar filhos*)------

Já que sou como todo humano terráqueo e não um anjo, carrego vícios e virtudes. Posso acrescentar a meu currículo familiar mais uma titulação: sou avô de uma linda e sensível adolescente na casa dos 17 anos.

Quando me formei pediatra, na década de 1970, também excelentes psicanalistas cometiam erros importantes. O mais marcante era nomear a relação mãe-filho como um vínculo entre um sujeito (a mãe) e um objeto (o bebê), sendo a mãe o polo mental e o bebê o polo somático – era duro ser criança há 50 anos. Claro que tudo evolui e muda, tanto que hoje o bebê recebe intenso foco de luz e muita gente fica acotovelada em berços e incubadoras, filmando, observando e estudando "Sua Majestade, o bebê". Até poucos anos atrás, o bebê não tinha o direito de sentir dor nem sofrimento psíquico, mas atualmente se sabe que ele é um sujeito em construção desde o nascimento.

Outro erro dessa época foi considerar a criança um habitante do paraíso terreno, com felicidade eterna, nada de frustração e tomando o cuidado para não "traumatizá-la" – termo típico desse período que reverbera até hoje.

Os livros sobre a tarefa educativa dos pais se dividem entre aqueles em que o autor conhece o tema – pode-se discordar dele, mas a obra tem solidez – e aqueles que parecem ter sido escritos por gurus que sabem tudo e aconselham a fazer tudo como eles acham que deve ser, prometendo êxito. Outros, ainda, são declaradamente amadores oportunistas – refiro-me aos "domadores de crianças", que em três capítulos resolvem problemas que os pais não conseguem resolver há vários anos. Às vezes penetram nos lares pela TV ou pela internet, onde se mostram tão geniais ou tão caricaturescos que provocam risos. Será que os pais são tão ineptos assim?

Independentemente da ideologia e da qualidade desses textos e métodos, percebe-se, em geral, uma parcialidade marcante na discussão do tema: uns responsabilizam exclusivamente os pais por todos os mal-entendidos e mal-estares que surgem na família; outros imputam toda a culpa às crianças, verdadeiras "delinquentes mirins". Elas ganharam vários apelidos, como "tiranas", "ditadoras" e "invasoras".

O pior caminho para os pais é fazer uma simplificação ingênua de algo que é complexo e complicado. Sabemos que a educação dos filhos sempre está carregada de contradição e ambiguidade. Assim, ficar só na culpabilização de uns ou de outros, sem analisar a sociedade, as culturas, a perda de certos valores e a atuação da chamada *mass media* e do mercado, é banalizar a questão.

Por tudo isso, ninguém pode assumir como únicos referenciais os conselhos de "especialistas" nem alguma "cartilha educacional" como se fossem o código de justiça ou um mandamento bíblico. Cada família é única. Cada criança, com sua história individual, incomparável e intransferível, não é passível de dados estatísticos e generalizações.

Sabemos que os pais são falíveis e imperfeitos, mas apesar disso o pior caminho escolhido pelos adultos é o de renunciar à sua função educativa. Não se pode estar ausente (ainda que fisicamente presente) e em troca "encher" os filhos de brinquedos, aceitando tudo que eles querem e o que não querem.

Os pais não podem trocar o prazer pelo gozo (prazer excessivo, perigoso e doloroso). Não podem deixar de mostrar aos filhos que a frustração é parte da vida e que, se bem existe o princípio do prazer, este tem de ser confrontado com o princípio da realidade. Os adultos precisam saber que, ao negar algo ao filho, criam uma falta, e é justamente a falta que estimula a criança a crescer.

Existem pais autoritários, como existem homens machistas, que são até um tanto violentos, muito dogmáticos e não educam, simplesmente domesticam. Mas também existem os pais ausentes por preguiça ou por uma questão de êxito profissional; há os "renunciantes", que vivenciam a angústia de não saber educar ou simplesmente "têm medo dos filhos", pela própria história pessoal. Por último, há os pais adequados, que educam pelo exemplo e pensam a educação como o caminho para que os filhos se dirijam a uma cidadania possível.

Por sua parte, as crianças não são "anjinhos" inocentes. São observadoras e, assim que percebem territórios e funções abando-

(*Educar filhos*)

nadas pelos pais, transpõem as fronteiras e usufruem dos benefícios de maneira imprópria e onipotente. Existem outras que respeitam os limites, sabem usar a liberdade para fazer boas escolhas e reconhecem a alteridade. Vemos que há todos os tipos de pais, de filhos e de educação – Tolstói, bom observador, escreveu: "As famílias felizes o são da mesma maneira, as infelizes o são cada uma à sua própria maneira".

Além de questionamentos, um bom livro deve oferecer as informações necessárias para que os pais tenham mais ferramentas para tomar suas decisões. Mas sempre há leis familiares que não podem faltar e têm de ser claras. A educação depende da sociedade e das normas familiares. Informar (diferentemente de catequizar) é uma tentativa de diminuir as escolhas erradas na educação familiar, mas a liberdade de escolha (certa ou errada) é um risco que vai depender dos leitores. A respeito disso, há uma frase muito feliz de Saramago: "Aprendi a não tentar convencer ninguém. O trabalho de convencer é uma falta de respeito, é uma tentativa de colonização do outro".

Por outro lado, o risco da desinformação é o de transformar a família em um ajuntamento de "desconhecidos íntimos", no qual o prazer do contato seja superado pelo desgosto do convívio.

É bem nítido que, para que uma família eduque adequadamente os filhos, é imprescindível que alguém se "resigne" a ser adulto. Não acredito que isso possa ser decidido por sorteio nem por uma assembleia com direito a voto.

Quanto menos os pais pretendem ser pais, mais eles exigem paternalismo à sociedade.

Nada do que penso ou escrevo precisa ter concordância absoluta por parte do leitor. A leitura deste texto deve ser crítica, para que cada um tire suas conclusões, que podem ser contrárias. A cultura é o que o homem acrescenta ao homem e a educação é o cunhamento efetivo do humano, aí onde só existe uma possibilidade.

A frase entre aspas é de Oscar Wilde, o acréscimo é meu: "Em se tratando de pais, pior do que um conselho é um conselho bom". Eles

(15)

têm de tentar, errar e fazer redescobertas sem pôr em risco sua confiança e preservando um tanto de seu narcisismo, que são elementos primordiais do processo.

Procurar só em locais iluminados pode ser um erro

Tentar, imitando Diógenes e a sua lanterna, iluminar de forma messiânica e repetitiva procurando todos os caminhos e estratégias usados na educação dos filhos é algo que se assemelha a uma conduta tragicamente (e comicamente) megalômana.

O povo sufi, encarnado no sábio *nasrudin*, usa narrativas folclóricas, piadas e metáforas para ilustrar, por meio do humor, questões do cotidiano.

Um vizinho, observando o sábio ajoelhado no jardim bem iluminado, à procura de alguma coisa, pergunta:
— O que você perdeu?
O sábio responde:
— A minha chave.
O vizinho, solidário, se ajoelha à procura da chave. Depois de muito tempo, o homem, suado e cansado, faz outra pergunta:
— Tem certeza de que foi aqui que a perdeu?
O sábio, secando a testa com um lenço, diz:
— Eu acho que foi na sala.
— E por que estamos procurando no jardim?
— É porque aqui tem mais luz! — responde.

Procuramos as estratégias educativas em locais que achamos mais iluminados, mas esse tipo de ideia está, muitas vezes, em locais obscuros da nossa mente. Dessa maneira, levamos em conta argumentos repetitivos e circulares (fechados), que parecem bem iluminados, mas não levam a lugar nenhum. Ou seja, não achamos resposta que seja eficaz e eficiente.

(Educar filhos)

Educar filhos não é fácil. Pelo contrário, é uma tarefa árdua, cansativa e imprevisível. Mas ela é imprescindível. Não tem nada de utópico, nem admite autodemissões. Precisamos deixar de repetir para não pensar, e pensar para não repetir!

Educar pelo exemplo

O querido Rubem Alves, pedagogo, psicólogo e escritor, contava a história de um amigo e da caseira do sítio onde esse homem morava. Era uma mulher trabalhadeira, simples e de poucas palavras. Certo dia, o homem precisava sair de carro e percebeu que este estava com defeito. Por sorte, naquele momento o marido da caseira apareceu para buscá-la, pois era fim de expediente. O patrão aceitou o convite do marido e subiu no carro velho, pequeno e com a lataria em estado terminal. Dando partida, o marido tirou um CD de uma caixinha e o colocou no aparelho de som. O primeiro pensamento do carona foi: "Agora vem alguma rádio sertaneja a todo volume". Ele era amante de música clássica, em especial de Vivaldi, que ouvia diariamente.

Quando a música encheu o interior do carro, o dono do sítio ficou embasbacado, gaguejante e vermelho de vergonha por ser tão preconceituoso. O condutor deve ter percebido e explicou: "Pois é, a minha esposa ouve todo dia essa música enquanto trabalha na sua casa! Ela se encantou e, curiosa, procurou o nome do autor, me contou do tal Vivaldi e fomos comprar o CD. Andamos todo dia no carro o ouvindo. Até já compramos outros. Todos são muito bacanas".

O dono do sítio, sem querer e sem saber, permitiu à mulher se autoeducar (pelo menos na música). Não educou, só colaborou. Não forçou, foi apenas um exemplo indireto. De alguma forma, ele exerceu a autoridade, no sentido do latim augeo, que significa "fazer crescer". Isso vale para a ética, a educação e a liberdade, que não podem ser ensinadas de modo teórico e temático (curricular). Só se ensina e se aprende pelo exemplo.

No caso da história de Rubem Alves, a mulher estava "aberta" ao exemplo da música do patrão e pôde acolher o novo. As crianças, segundo esse grande pensador, nascem pipocas arrebentadas: estão bem abertas à infinidade de coisas a ser aprendidas – coisas novas, coisas boas. Mas existe o perigo de, não recebendo bons exemplos, se tornarem piruás, aqueles grãos que não arrebentam, permanecendo fechados.

Daí a importância das atitudes, das palavras, de como se dizem as palavras, das relações intersubjetivas justas e honestas, que usam a verdade e respeitam a verdade das crianças. Com liberdade e autoridade e sem libertinagem e autoritarismo.

A plena estatura humana se atinge por meio da informalidade na transmissão de lembranças e valores por via da educação. Não nascemos para o mundo, mas para o tempo. Carregamo-nos de símbolos e famas pretéritas, de ameaças e esperanças sobre o tempo que virá. Entre o passado e o futuro escorre o presente pessoal. Nessa viagem, vamos aprendendo os significados das coisas. E isso é algo fundamental, porque as coisas não são só o que são, mas também o que significam.

Spinoza, em seu livro *Ética*, escreve: "Os homens que procuram sua utilidade sob orientação da razão nada desejam para si que não desejem para outros homens. Assim conseguem ser justos, dignos e éticos".

Helen Keller e sua metáfora educativa

A história de Helen Keller data do século XIX, sendo universalmente conhecida. Logo ao nascer, ela teve uma grave encefalite, que a deixou cega, surda e muda. Sem comunicação com o mundo, foi crescendo, refém de suas tormentosas pulsões que a tornaram indomável – por anos a fio ela se manteve nesse estado sub-humano, com crises de fúria e agressão. Os pais, em estupor, só lhe ofereciam o colo indiscriminadamente, que era o que a acalmava. Davam-lhe

——————(Educar filhos)——————

todo o seu amor, mas, paralisados pela surpresa e pela dor, não podiam nem sabiam oferecer outros estímulos.

Com esse catastrófico começo de vida, de maneira miraculosa e incrível, Helen se tornou uma professora universitária prestigiosa. Morreu em 1968, aos 88 anos, 80 deles frutíferos.

Como se deu essa evolução? Não foi por milagre. O que aconteceu foi que, quando Helen completou 8 anos, seus pais – exaustos, sem esperança e sem paciência – optaram por contratar uma pessoa para alimentá-la e oferecer-lhe colo. Nunca pensaram em alguém para educá-la. A medicina a desenganou ao colocar-lhe um carimbo tenebroso: o quadro era irreversível. Mas o destino quis que a cuidadora tivesse titulação de educadora. Ela era muito sensível e percebeu que precisaria de muita exigência, frieza e autoridade para estimular a criança a dar outras respostas. Não aceitou o cargo de simples cuidadora e começou a trabalhar com firmeza – pensando não no momento da dor pontual, mas no futuro de Helen. A professora mostrava aos pais, que sofriam junto com a filhinha, que não seriam a compaixão e a dor compartilhada que fariam de Helen um ser humano em progressão. Sabia que, se a garota continuasse nos cuidados básicos, a deficiência seria definitiva. Conseguiu. Em poucos meses, Helen usava a língua de sinais e, três anos depois, dominava o braile.

Moral das histórias

O que têm em comum todas essas histórias com a educação dos filhos?

Em primeiro lugar, todas as crianças (inclusive as saudáveis) estão submetidas à violência de suas pulsões.

Em segundo lugar, para educar os filhos, somente o amor infinito (oferecer a plena felicidade, sem experiências de frustração nem de algum sofrimento) não serve.

Em terceiro lugar, não se pode perder de vista, quando educamos nossos filhos, que a "falta" de algo é um incentivo para eles desejarem crescer.

Em quarto lugar, o caso de Helen, sendo de tamanha gravidade, mostra que as crianças normais que estão sendo educadas não podem contar com a complacência exagerada: precisam ser exigidas e devem aprender a ouvir "não" como resposta.

Nessas metáforas da tarefa educativa dos pais, vemos que procurar ideias e estratégias em locais aparentemente fáceis, repetitivos e "iluminados" pode induzir ao erro. O exemplo persistente funciona, como no caso do prazer com Vivaldi.

O poeta Manoel de Barros nos convida a continuar a leitura

[...] Cresci brincando no chão, entre formigas. De uma infância livre e sem comparamentos. Eu tinha mais comunhão com as coisas do que comparação. Porque se a gente fala a partir de ser criança, a gente faz comunhão: de um orvalho e sua aranha, de uma tarde e suas garças, de um pássaro e sua árvore. Então eu trago das minhas raízes crianceiras a visão comungante e oblíqua das coisas. Eu sei dizer, sem pudor, que o escuro me ilumina [...][2]

A poesia é um diamante lapidado. No último verso, a criança-adulta (o Manoel) muda de um jeito lindo a estereotipada maneira de procurar o iluminado. Esse poeta maravilhoso afirma: "o escuro me ilumina".

2. Ler os clássicos para conhecer coisas novas

༄

> A eterna briga entre a nostalgia do passado
> e o acolhimento do presente encobre o
> verdadeiro problema: aquilo que funda uma
> família determina qual será a transmissão
> que poderá ser feita.
> Philippe Julien[3]

O título deste capítulo vem de uma frase do filósofo espanhol Miguel de Unamuno. Logo constataremos que o que se fazia em épocas passadas na educação dos filhos não perdeu a vigência na atualidade. Não se pode esquecer o passado, com o risco de repetir ou de cometer erros no futuro.

A educação no tempo dos astecas

Há 20 anos, durante uma viagem ao México, comprei um livro delicioso sobre a educação das crianças desse antigo povo. Ele contém a ideologia e as práticas educativas. Ao ler se fica surpreso e ao mesmo tempo com certa inveja. Todas as instruções se encaixam nas teorias modernas, e tenho certeza de que seriam eficientes. Em essência são simples, claras e exequíveis.

Para os astecas, a educação era uma ferramenta adequada para que uma geração transmitisse à próxima as realizações obtidas pela cultura. Eram tempos estáveis, o que auxiliava a transmissão. A ascendência era importante e respeitada. Os anciãos eram venerados pela sua experiência e colaboravam com a formação das crianças e dos jovens. A educação significava para eles o ato pelo qual os mais novos se apropriavam da herança cultural dos mais velhos e dos antepassados. Com isso se incorporava nas crianças os valores socioculturais, ensinando-as a usá--los e a respeitá-los. Estimulava-se o amadurecimento intelectual e afetivo. Crianças e jovens eram encorajados a exercitar o juízo crítico, o que lhes permitia fazer escolhas convenientes, no marco da dignidade humana. E por isso eram livres. Ao conhecer, pela narrativa, como e por onde haviam andado os antepassados, as crianças, com segurança, poderiam escolher seus caminhos e andar com as próprias pernas.

Em certas ocasiões, aconteciam alguns castigos corporais diante de falhas graves. Tratava-se de uma questão cultural normatizada, e nunca de uma conduta extemporânea de um ou de outro pai.

Até agora, a única coisa que não se pode dizer desse modelo de educação é que estamos falando de uma velharia. Pelo contrário, ele transpira adequação e respeito por todos os poros.

A educação dos pequenos astecas tentava não tão somente atingir a sabedoria; muito além disso, objetivava-se significá-la no tempo. Perdurabilidade, era disso que se tratava.

Os conhecimentos eram transmitidos em relação com o cotidiano. A educação era ativa, integral e interdisciplinar. Além de estudar, as crianças e jovens deveriam colaborar com as tarefas produtivas. Tudo auxiliava na arquitetura da personalidade infantil. O lema era: "atingir a mente e o coração". Os pequenos aprendiam artes, artesania e ofícios, além de frequentarem reuniões para discutir os conceitos de ética e moral da comunidade. Nas entrelinhas, atrevo-me a inferir que os astecas eram "pré-freudianos" e educavam como se soubessem que um dia Freud escreveria que a relação educativa entre adultos e crianças arquitetaria nos pequenos a formação do superego. Este, como sabemos, em um diálogo silencioso e interno (voz da consciência) com o ego, refreia a onipotência e o hedonismo, marcando aquilo que se deve ou não fazer, pelo seu bem e pelo bem dos outros.

Dessa maneira, sem nunca ter lido Freud, os pais conseguiam que os filhos entrassem em contato com o interdito e a frustração e tolerassem isso, porque as regras eram claras e firmes. Os adultos tinham convicção de que, se essas premissas não fossem utilizadas, algo acabaria dando muito errado.

Analisando o assunto do ponto de vista da psicanálise, poderíamos traduzi-lo da seguinte forma: a mente infantil, imatura e com sua irrefreável pulsão, era suscetível a cometer atos contrários à cultura. Assim, os pais agiam com compreensão e proteção; ao mesmo tempo, mostravam-se firmes e exerciam a autoridade. Criava-se um ambiente de certeza, respeito e segurança.

Pergunto ao leitor: o que se pode questionar, acrescentar ou suprimir das atividades educativas dos astecas nos dias de hoje? Penso que nada... Absolutamente nada!

A época do nazismo e do herói Janusz Korczak

Judeu polonês, pediatra e pedagogo, Korczak morreu em um campo de concentração, com 200 crianças órfãs de guerra de quem ele cuidava no orfanato que dirigia. Poderia ter continuado vivo se aceitasse um salvo-conduto em troca de entregar as crianças – ele não aceitou.

Ele escreveu vários livros, dos quais dois são bastante conhecidos no Brasil: *Como amar uma criança*[4] e *Quando eu voltar a ser criança*[5]. Essas obras contêm uma amostra do intenso amor que Korczak tinha pelas crianças, amor que no entanto era menor que o respeito e compreensão que nutria por elas. A educação familiar era sua preocupação central. O vínculo de intenso amor, para ele, não podia substituir a educação firme e com autoridade dos pais para não correr o risco de cair nos privilégios. Insistia que a frustração deveria estar presente sempre que necessário.

Apesar de amar as crianças, Korczak não era "fanático parcial" delas nem apregoava o mito da criança eternamente feliz e livre da dor durante o crescimento. "Nunca devemos permitir à criança que faça tudo que ela quiser ou desejar. O risco é transformar um escravo aborrecido em um tirano aborrecido", dizia. Ele achava que viver em sociedade demandava um preparo na família. Para tanto, afirmava que a tolerância dos pais não poderia acontecer em tempo integral e muitos dos desejos dos filhos deveriam ser protelados.

Mas como Korczak podia amar tanto as crianças e propor tudo isso? Justamente porque as amava e sabia do que elas precisavam. Em outro texto, ele continua: "Tem muitos 'me dá' da criança que devem bater de frente com os 'não' dos pais. Destes primeiros 'não posso lhe dar' ou 'isso você não pode' vai depender uma parte muito importante da educação".

Mas também existe o outro lado. De acordo com o autor, em nome do futuro hipotético de uma criança, subestima-se o que hoje são suas alegrias, tristezas, espantos, cóleras e paixões. Em nome de um futuro, que ela não entende nem deveria entender, são roubados anos de sua vida. "O futuro da criança é hoje", ele clamava.

Em *Quando eu voltar a ser criança*, um adulto que um dia, magicamente, vira criança reclama:

> É incômodo ser pequeno, a toda hora temos que nos esticar, ficar na ponta dos pés, levantar bem a cabeça, porque as coisas acontecem nas alturas, bem acima de nós. A gente se sente sem importância, fraco e perdido. É por isso que gostamos de ficar em pé, ao lado de adultos sentados, então aí, sim, podemos ver seus olhos.

Algumas folhas adiante, mostra-nos uma poesia, de adulto para adulto, mas no sentido oposto ao parágrafo anterior. Como sempre, vale por mil palavras:

> Vocês dizem: "Cansa-nos ter que conviver com crianças" – têm razão.
> Vocês dizem: "Cansa-nos ter que descer ao nível delas – descer, rebaixar-se, inclinar-se, curvar-se" – estão equivocados! Não é isso que nos cansa e sim o fato de termos que elevar-nos até atingir os sentimentos das crianças. Elevar-nos, subir, ficar em pontas de pé e estender a mão suavemente, para não machucá-las.

······(Educar filhos)······

Em outro momento, usa o diálogo de uma criança com os pais e aproveita para fazer uma crítica aos adultos que, sem nenhuma empatia e com muita desqualificação, não dão valor às questões pelas quais a criança se interessa e as quais valoriza:

Criança: "Mãe, fita vermelha fica melhor em gato ou cachorro?"
Mãe: "Veja, você rasgou sua calça de novo".
Criança: "Todo velhinho precisa de um apoio nos pés quando senta?"
Pai: "Tire boas notas para não ficar de castigo."
A seguir, a criança faz um desabafo muito triste: "Então, deixei de perguntar e passei a deduzir as coisas sozinho".

Pura poesia, pura verdade, tudo acontecendo no meio de uma situação atroz e insustentável, porém o autor tinha ânimo e tempo para construir uma obra que nos delicia pelo afeto, pela ternura e pela coragem.

Meu pai educador: entre o machismo e o matriarcado

Para situar o leitor no tempo, estamos no fim da primeira metade do século XX. O poder paterno entrara em declínio nos últimos anos do século XIX. Quando nasci, começava o fortalecimento da "maternalização" da família. Logo veio a revolução feminista, com a conquista do mercado de trabalho pelas mulheres e a descoberta dos métodos anticoncepcionais, que lhes permitiram separar a função reprodutiva do prazer sexual. E, por último, surgiu a reprodução assistida, que lhes possibilitou engravidar sem um parceiro.

Acabo de completar 73 anos, ou seja, fui criança no fim do patriarcado, adolescente na fase do feminismo (a famosa queima dos sutiãs), pai na época da criança que nasceu para ser feliz (exageradamente) e da proibição de traumatizá-la. Esta última palavra deu origem a cuidados extremos e exagerados com a saúde mental dos filhos em detrimento da função educativa dos pais. Os filhos poderiam ser inadaptados sociais, mas jamais traumatizados pela educação. Reco-

······(25)······

nheço que as superprotegemos, nunca as frustramos e acho que não as ajudamos a crescer. A figura pode ter cores demasiado fortes e ser um pouco caricaturesca, mas basta lembrar a frase de Gabriel García Márquez: "Quando contamos nossa história, não é a real história que vivemos, mas o que lembramos dela. Assim, ela depende de nosso estado emocional na hora em que a narramos".

O fato é que se tratava de uma sociedade sólida, estável e previsível. As mudanças aconteciam sem solavancos e a um ritmo que permitia uma razoável adaptação. Tudo parecia mais normatizado e constante. Por exemplo, na nossa família, adultos e crianças compartilhavam a mesa, tanto no almoço quanto no jantar. Minha mãe cuidava da rotina da casa e dos filhos. Meu pai saía e voltava sempre no mesmo horário, não trazia trabalho para casa nem tinha reuniões fora do expediente. Ou seja, trabalhava-se "no trabalho" e se "familiava" com a família.

Éramos de uma modesta classe média. Aliás, a classe então predominante em número, e um grupo que movimentava bastante a economia. Não se gastava em supérfluos nem em produtos luxuosos. Meus pais podiam, quase sempre, programar as futuras férias separando dinheiro (não muito) todo mês.

As crianças brincavam na rua (não havia *playgrounds* nem escolas de educação infantil) e eram respeitadas, tanto que os carros (não transitavam tantos assim) paravam para que os jogadores mirins recolhessem a bola e ficassem na calçada até o recomeço do jogo. O bairro (comunidade) nos dava identidade; éramos conhecidos a vários quarteirões de casa. As crianças eram filhos "de", e os adultos, pais "de". Havia uma vida comum compartilhada por todos, e se celebravam os acontecimentos importantes da existência – casamentos, nascimentos e falecimentos – com os vizinhos.

Nossos pais se comportavam de forma exageradamente autoritária. Era a época da palmada e da chinelada, mas como todos agiam igual, tudo era menos denunciado. Eles nos criavam usando seu estatuto, o da criança ainda não tinha sido escrito. Certo ou errado (hoje

(Educar filhos)

seria errado), tratava-se de um padrão comum e repetido em todas as casas, por isso era mais simples educar. Ainda não estourara a bolha dos pais que traumatizavam. Todos tinham apenas um aparelho de TV (preto e branco) com poucos canais e a programação só ia até a meia-noite. A família compartilhava filmes e programas periódicos; assim, não havia brigas pelas escolhas e muito menos um aparelho em cada quarto. Outra lembrança importante: existia a família ampliada. Os almoços de domingo na casa dos avós eram apoteóticos e multitudinários. Reuniam filhos, netos, noras, genros e agregados ("como da família", nos explicavam). Muita comida, muita conversa paralela, risadas. Discutiam-se apaixonadamente assuntos variados, o que para as crianças era ótimo, pois entrávamos em contato com vários pontos de vista.

Hoje, a família é nuclear (pais e filhos) e os filhos ouvem quase exclusivamente as ideias dos pais. Antes existia estabilidade; hoje temos a mudança e a liberdade.

A tradição tinha que ver com a ascendência (de onde vínhamos); hoje se valoriza a descendência (o futuro).

Não estou tentando ficar na encruzilhada entre nostalgia e modernismo. Não se pode ficar refém do passado, com o conhecido lenga-lenga "na minha época tudo era melhor". A nossa época é esta, na qual estou escrevendo o livro, e na qual atendo as crianças e suas famílias em meu consultório pediátrico. Uma época em que lido com muitas coisas novas. Mas nada nos autoriza a destruir o passado ou a esquecê-lo totalmente – o embate entre o velho e o novo opacifica o problema real: é em função daquilo que funda uma nova família que uma ou outra transmissão pode ser feita. Nessa transmissão existem três leis: a do bem-estar, a do dever e a do desejo.

Meu pai (e seus contemporâneos também) sabia e podia dizer: "Tens de fazer" ou "Não podes fazer". Isso colocava em funcionamento a lei do dever incondicional e indiscutível. A lei do desejo implica admitir que a criança vai ter o desejo de crescer se enfrentar alguma falta ou interdição.

Prazer de menos ou prazer demais levam ao desprazer.

Hoje, o dever não é mais uma exigência paterna. Na época do meu pai era assim: "Deves porque sou eu quem diz". Atualmente, o dever tem de se impor com uma lei sem a voz paterna: "Deves porque deves".

Como vimos, sempre existe uma narrativa, uma metáfora, piada ou até uma poesia que atestam a teoria.

Numa fria e chuvosa manhã de inverno, a mãe entra no quarto do filho e diz:

— Acorda, filho, você precisa ir para a escola.

A resposta, confusa, é dada embaixo do cobertor:

— Não vou, mãe, está um dia horrível.

A mãe começa a perder a paciência e diz:

— Você se agasalha e vai. Precisa ir.

— Não vou, tudo lá é chato, alunos e professores.

A mãe finalmente estoura e, puxando o cobertor, grita:

— Deixa de embromação, você é o diretor da escola e tem de ir!

A lei do dever não funcionou por duas vezes, mas quando a mãe mudou o discurso e assumiu a autoridade necessária, tudo mudou de cor.

Com respeito à educação que recebi e às histórias que relatei, faço de novo um esclarecimento: não sou saudosista nem admirador de tiranias ou ditaduras – e muito menos das palmadas e chineladas que recebi (além de não ser saudosista, não sou masoquista).

Acontece comigo o que acontece com quase todos: por um lado sou grato a meus pais, porque acho que devo muito a eles pelo que sou, mas ao mesmo tempo percebo que falharam em vários aspectos que me marcaram por algum tempo. As marcas foram desaparecendo em sucessivas terapias. Posso enumerar as críticas que eu fazia: mentiam, segundo eles, para eu não sofrer (?), não dando respostas às minhas indagações (não é coisa de criança); falavam em outra língua para que eu não entendesse (nunca falei, mas aprendi a entendê-la). A pior lembrança (dessa ficam resquícios) foi me levar enganado a realizar uma amigdalectomia (truculenta e sem anestesia) com a desculpa de que

―――(Educar filhos)―――

íamos falar com um médico que torcia por meu time favorito. Senti-me um pária, um cidadão de segunda classe, alguém que não merecia respeito. Nunca mais acreditei na palavra deles.

Mas vejam só: à medida que vou relatando esses despropósitos, surge na minha memória uma boa lembrança do meu pai educador, que ainda em diversas consultas conto aos pais de meus pacientes como um bom exemplo. Fica clara a minha ambivalência para com ele, coisas ruins, coisas boas. Afinal, a vida não é feita dessa mistura?

Meu pai era pacato, manso (até demais), falava baixo e vivia um tanto oprimido pela matriarca, que era emotiva, gritava, ameaçava e dava mais palmadas que meu pai. Ele nunca gritou, mas apesar da passividade não renunciou à sua função educativa. Só que ele a realizava a seu modo. Por exemplo, nas refeições era calmo e metódico, mastigava devagar, entre uma garfada e outra bebia um gole de vinho ou mordiscava um pedaço de pão e ainda conversava. Eu, ao contrário, era um verdadeiro troglodita faminto, engolia porções enormes, quase sem mastigar (e olha que não faltava o bom exemplo). Tudo pra mim era rápido: quando eu estava na sobremesa, meu pai estava terminando a entrada. Tentaram me corrigir, explicando os problemas digestivos que poderiam me acometer se eu continuasse comendo daquele jeito. Não funcionou por um motivo: eu não estava preocupado com meu aparelho digestor, e sim com o jogo de futebol ou com qualquer outra brincadeira que os amigos estariam começando. Minha voracidade tinha um motivo. Quando meu pai percebeu isso, calma e firmemente mudou a estratégia. Falando a todos, mas se dirigindo a mim, disse que cada um poderia comer do seu jeito e com a velocidade desejada, mas que a partir daquele dia a norma mudaria: o primeiro a sair da mesa seria ele; em seguida viriam os outros comensais.

Acabou. Não adiantava mais ter pressa. À sua maneira, nesse aspecto ele me educou. Já mencionei aqui minhas terapias. Uma delas, em particular, foi muito útil. Em uma sessão em que eu continuava com a ladainha de culpar meus pais por todas as minhas neuroses, o psicanalista não fez uma interpretação, mas um pequeno esclarecimento, mostrando que em uma sessão eu falava mal dos meus pais e em outra mencionava minhas dificuldades na educação dos meus filhos. Foi tão cirúrgica a intervenção que naquele fim de semana decidi viajar a Buenos Aires (onde nasci), de surpresa, e fiquei hospedado na casa deles (sempre ia a um hotel). Convidei-os para jantar com um bom vinho. Tentei comer no ritmo do meu pai (que pela idade estava bem mais lento) e, na hora do café, disse-lhes que, após vários anos educando meus filhos, percebi como era uma tarefa difícil, com mal-entendidos, discussões... Enfim, que cada pai ou mãe faz o que pode e com certeza se erra bastante, mas que eu reconhecia ter para com eles uma dívida por terem me convertido em quem sou. Voltei ao Brasil, eu e os meus fantasmas, em paz.

3. O enredo, os atores e o palco da novela da educação familiar

❖

Minha bisavó reclamava que minha avó era tímida
Minha avó pressionou minha mãe para ser menos cética
Minha mãe me educou para ser bem lúcida
E eu espero que minha filha fuja desse cárcere
Que é passar a vida transferindo dívidas.

Martha Medeiros[6]

Acredito que o enredo familiar não seja uma história de "mocinhos e bandidos". Existe um exagero na utilização de rótulos, que não deveriam se fixar de maneira rígida e inamovível ora nos pais, ora nos filhos. Os mocinhos e os bandidos são nomeações rotativas, que mudam em cada grupo familiar.

Cada família "escreve" seu enredo, às vezes comédia, às vezes drama. A sociedade tem uma dupla tarefa: funciona como o palco da trama e como protagonista dela. Muitas vezes é vilã etérea, com seus vícios, exigências, intolerâncias, valores deturpados, o mercado com o estímulo desaforado ao consumo. Às vezes, se veste de vítima, recebendo crianças desadaptadas, intolerantes e hedonistas que não tiveram uma educação que as encaminhasse até uma cidadania possível.

Essa sociedade "maquiada" em sua forma líquido-moderna (termo cunhado por Zygmunt Bauman) é uma espécie de prima-dona maligna e perigosa com sua roupagem que encobre o êxito medido em dinheiro, o ter em lugar do ser, a falta de solidez e de constância, as mudanças repentinas, as múltiplas crises sociais, políticas e econômicas.

A família

Segundo inúmeras pesquisas, a família é para os jovens a instituição mais confiável, acima dos políticos e da religião. Talvez buscando certa clareza, falarei de maneira isolada de cada protagonista do agrupamento familiar, mas sempre reconhecendo que este tem suas dinâmicas internas entre os sujeitos e sua relação externa com a sociedade e a cultura.

Sabendo que a parentalidade é um requisito para a formação do psiquismo da criança, podemos afirmar que a parentalidade satisfatória é algo indispensável para ela. O conceito de parentalidade inclui mais que a soma de uma mãe e de um pai: devem existir as funções de acolhimento e de inclusão de um novo elemento, o filho.

O processo de amadurecimento do bebê depende, entre outras coisas, do processo de maturação dos pais em seus novos papéis. Pode ser definido como o conjunto de reajustes psíquicos e afetivos que permitem aos adultos se transformar em pais e dar respostas adequadas às necessidades corporais, psíquicas e emocionais dos filhos.

A criança, por sua vez, não existe sozinha: ela é parte de uma relação. Assim, é preciso priorizar os vínculos afetivos e educativos na inserção da criança na família e na sociedade.

Em geral, se nasce e se cresce em uma família. Tempos depois, os filhos se separam (ou pensam que o fazem) das famílias de origem e aspiram à construção de uma nova família (a própria).

Existem poderosas forças emocionais do passado e do presente dirigidas ao futuro. Elas constituem um elo vertical e transgeracional que molda as ideias que se tem sobre a família. Nas novas famílias, esses elos são intergeracionais e horizontais.

Dependendo dos próprios dogmatismos, experiências, crenças e relacionamentos, cada grupo construirá sua ideia sobre a família, que é pontual e individual. Cada família é um modelo único.

Em minha trajetória como pediatra, atendi todo tipo de família, mas três modalidades constitutivas e funcionais foram marcantes e

———————————(Educar filhos)———————————

de alguma maneira se repetiram nas minhas quatro décadas de atuação como pediatra. A sua descrição clínica acaba coincidindo com a descrição teórica de vários autores. Fugindo do rótulo fácil e do estereótipo estatístico, tais autores citam diversos discursos familiares repetidamente privilegiados, que lhes permitem falar em: "a sagrada família", a família dogmática e a família messiânica.

Na sagrada família, o grupo familiar não consegue criar um novo e próprio contexto de significação. "Sagrada" por ser intocável e inviolável. A família de origem (os mais velhos) aparece como uma figura mastodôntica e imperecível. A matriarca serve de porta-voz – não se permite ser contradita nem questionada. O lema, que responde à crítica, é: "Aqui sempre foi assim". O passado vira presente perpétuo. Essa é a herança opressora recebida pela nova família. Como o grupo de origem só aceita a certeza e o conhecido, o futuro não é tema de conversa, porque inclui o incerto ou estranho. Não existe o explícito; todos se comunicam implicitamente e com significados fatalistas. Na esfera da educação dos filhos, um casal jovem nessa configuração familiar não conseguirá empreender essa tarefa, posto que continua refém de um passado que tem suas verdades absolutas e definitivas.

Já na família dogmática criam-se regras e normas que ninguém pode esquecer. O preexistente não pode ser ressignificado. O pseudoequilíbrio no interior do grupo de origem não permite as diferenças nem o novo, já que estes poderiam alterá-lo. O diferente soa como conspiração. A autoridade ungida tacitamente é o avô paterno; ele é a lei e a verdade. O jovem pai da nova família tem uma figura apagada, sem força.

Na família messiânica, por sua vez, tem-se a ilusão de que se deve "jogar todas as fichas" no futuro. Uma criança que algum dia vai nascer trará ordem e felicidade familiar. São famílias caóticas, sem normas, inseguras e confusas. A idade cronológica dentro delas não tem a mínima importância: não existem diferenças geracionais. Todos vestem o uniforme da juventude permanente. O passado é esquecido, o presente é provisório e só o futuro promete plenitude. As crianças frequentemente apresentam problemas de aprendizagem e de sociabilização.

Com base nesse desenho, é possível afirmar que a família pode promover a saúde física e mental dos filhos, mas em certas ocasiões, inversamente, fomenta mal-entendidos, mal-estares, aparição de sintomas e até doença.

Vemos, assim, que o espaço intersubjetivo e transgeracional nos vai "atravessando" com significados e sentidos de uma história que não protagonizamos. A fundação de uma nova família pode ser pensada como a criação de um novo conceito de significação.

As novas famílias têm uma difícil missão: a de criar um contexto comum de significados, deixando de lado os outros significados que trazem da família de origem. Vejamos um exemplo trivial. Para o marido, a palavra "par" significa uma porção. Assim, para ele, pedir um par de bolachas é pedir várias delas. Para a esposa, por sua vez, um par significa nem mais nem menos que duas bolachas. Podem-se imaginar os ruídos indesejáveis que aparecem na comunicação do casal e os mal-estares desnecessários.

Saindo das bolachas, é preocupante essa falta de sincronia em assuntos como a educação dos filhos. Cada adulto, com seu código de significados próprio e contrário ou diferente do do outro, falando com o mesmo filho – desacordo e confusão na certa. As mensagens duplas são desconcertantes.

Agora é a vez de Maria mostrar a teoria na prática: simpática e impertinente criança de 2 anos que não respeitava nenhum limite nem tolerava a frustração (a pouquíssima que experimentou). Queixas na escola e em casa. Qualquer argumento de terceiros, esgrimido com a mãe, no sentido de um basta a seu esquema libertário demais, não era ouvido, sendo imediatamente repelido com a sua observação de que a filha goza de uma liberdade invejável e que assim continuaria. O pai não conseguia exercer a autoridade, colocar limites. A mãe o afastava peremptoriamente.

―――――――――――――(*Educar filhos*)―――――――――――――

Típico caso sem solução, com desacordos demais nas significações, já que o que para o pai significava autoridade para a mãe era autoritarismo e falta de liberdade. E essa pseudoliberdade para o pai era simplesmente libertinagem. O que para a mãe significava direitos para o pai soava como privilégios. A falta de limites total criou uma situação caótica e as noites viraram um tormento, Maria acordava aos prantos, reclamando a presença da mãe, que foi ficando tensa e esgotada. Paradoxalmente, o incômodo da mãe foi o começo da mudança. Ela resolveu procurar ajuda psicológica e nas entrevistas vinculares surgiram dados importantes para a resolução dos mal-entendidos e mal-estares. A educação da mãe, quando criança, fora tingida de violência e autoritarismo por seu pai. Assim, ela decidira que sua filha seria livre e feliz, como ela não tinha sido. Com o tratamento, a mãe conseguiu descolar a filha da imagem dela quando criança e a de seu marido da de seu pai.

Com esse corte, é possível fazer uma nova aliança nas significações e passa a existir uma nova legalidade vincular. No caso de Maria, observa-se a continuidade transgeracional, que muitas vezes atrapalha as decisões e os relacionamentos na hora de pôr em prática a tarefa educativa com os filhos em uma nova família.

É um bom exemplo para considerar a existência da chamada "binocularidade", ou seja, de dois olhares e dois pontos de vista dentro da parentalidade. Se a família (nova) consegue amadurecer em seu relacionamento, aparece a autocrítica e cada um dos pais percebe e aceita que, em certos momentos, não tem o mais adequado ângulo de visão na totalidade do contexto. Com isso se diminui a onipotência e se consegue aceitar o ponto de vista do outro – o filho será olhado melhor e por completo.

As lembranças acabam, muitas vezes, sendo encobridoras, como uma "falsa" representação, não necessariamente mentirosa. Sempre permanecem no inconsciente retalhos, que surgem com força quando do um acontecimento atual rememora o passado.

As questões trans e intergeracionais que intervêm na fundação de uma família instigam a seguinte pergunta: "O que uma geração deve transmitir à próxima para permitir que esta possa abandoná-la?" A resposta depende, em grande parte, do momento social em que a família seja analisada. Hoje existem concepções diferentes e opostas. A primeira vê a família mais sólida que nunca. Pelo surgimento do anonimato urbano, a família é referência. Existiria uma suposta solidariedade intergeracional, com a ajuda financeira dos mais velhos, a utilização de residência compartilhada da nova família com a de origem, o apadrinhamento profissional dos mais jovens. Segundo esta concepção, haveria um sentimento de dívida e gratidão para com a geração precedente.

A segunda afirma com ênfase todo o contrário. Crê que as considerações anteriores seriam reações sintomáticas da profunda crise da família moderna, com aumento de separações do casal, famílias reconstituídas, monoparentais, homoafetivas etc. Tudo isso recheado com a imagem social do pai em declínio, a renúncia da função educativa, mulheres retardando o casamento e a gestação por motivos laborais. Seriam graves sinais da impossibilidade das novas gerações de fundar e manter as novas famílias.

Acho que as duas concepções têm certo ranço de parcialidade e extremismo. Basicamente, são incompletas. A psicanalista Elisabeth Roudinesco questiona o futuro da família:

> Para aqueles que temem mais uma vez sua destruição ou dissolução, objetamos em contrapartida que a família contemporânea, horizontal e em redes, vem se comportando bem e garantindo corretamente a reprodução das gerações. [...] Finalmente, para os pessimistas que pensam que a civilização corre o risco de ser engolida por clones, bárbaros bissexuais ou delinquentes de periferia, concebidos por pais desvairados e mães errantes, observamos que essas desordens não são novas (mesmo que se manifestem de forma inédita) e sobretudo que não impedem que a família seja atualmente reivindicada como o único valor seguro ao qual ninguém

quer renunciar. Ela é amada, sonhada e desejada por homens, mulheres e crianças de todas as idades, de todas as orientações sexuais e de todas as condições.[7]

Com seu estilo claro e envolvente, Roudinesco consegue colocar ordem na casa.

Diante do impasse, surgiram teorias das mais variadas ciências humanas. A antropologia realça o discurso social, afirmando que só a sociedade permite abandonar a família de origem de acordo com as leis das trocas. A sociedade, ao interditar o incesto, permite que os filhos tenham de procurar outras pessoas, fora do círculo familiar, para fundar uma nova família.

A psicanálise faz objeções, afirmando que a transmissão para a nova geração só pode vir da autoridade paterna. Assim, seria da ordem do privado e não do público e social.

Existe uma terceira posição, que é oriunda do desejo. Ela afirma que um homem pode morar com uma mulher ou com outro homem, a mulher pode morar com um homem ou com uma mulher (com ou sem casamento) e sem a "bênção" ou aprovação dos pais ou da sociedade. Também a identidade igualitária, seja econômica, religiosa ou sexual, já não constitui motivo excludente e preocupante da convivência. Todas as fronteiras podem ser transpostas – existe mestiçagem social, econômica, étnica e sexual, o que significa uma revolução da linhagem.

As funções materna e paterna

Quando se fala em função, não se está determinando o sexo ou gênero de quem a assume, embora quase sempre a mãe assuma a função materna e o pai, a paterna. Porém, trata-se de uma função porosa, que admite que a mãe assuma em determinados momentos ações da função paterna e vice-versa. Também não é biológica: pais adotivos ou outros cuidadores podem assumi-las. Nos casais homossexuais isso fica patente.

As funções são duas vertentes diferenciadas do laço primordial. A mãe, exercendo a função materna, em contato íntimo com o bebê, o toma como um pedaço de si mesma e assume um lugar atributivo que é projetado no filho, como um discurso, uma atitude ou determinadas representações mentais. A mãe sabe por ela e pelo bebê, é a dimensão transitiva da função materna – o que permite ao bebê entrar no universo simbólico e virar um sujeito.

A função paterna se observa como um operador de corte: atua para interromper a intensa simbiose que liga a dupla mãe/filho.

Ambas as funções são antagônicas, mas ao mesmo tempo complementares. Da sua articulação harmônica resultam as trocas satisfatórias com o bebê.

Um exemplo disso é o momento da alimentação. A mãe organiza suas respostas graças à sua capacidade de projetar no bebê desejos paralelos aos seus. Quando o bebê se agita, ela lhe atribui o desejo de alimento, atrelado a seu desejo de alimentá-lo. Nesse instante, a mãe se posiciona na vertente materna. A troca só será satisfatória se ela respeitar a necessidade e aguardar a demanda do bebê. Ela só tem de satisfazer a demanda. Não se pode obstruir a necessidade do bebê, decidindo por ele. Caso a mãe consiga respeitar o desejo do filho, assume a função paterna.

Outro exemplo acontece quando a mãe interpreta a agitação do bebê como sendo resultado do frio. Ela então o agasalhará sem se importar que ele fique avermelhado, suado e mais desconfortável. Nesse caso, se a mãe consegue se "afastar" do filho, considera que ele tem sensações próprias e admite que é ela a friorenta, vai tirar parte do excesso de roupa da criança. Nesse momento, está assumindo a função de corte paterna.

A vertente paterna coloca um limite ao gozo (prazer excessivo) da mãe e o bebê abandona o estatuto de ser um pedaço do corpo materno, deixando de ser tão previsível e legível. Assim deve ser! Assim, a função paterna introduz a dimensão de alteridade e garante um bom desenvolvimento da criança.

———(*Educar filhos*)———

Se o leitor se pergunta o que tudo isso tem que ver com a educação de um filho, a minha resposta é bem concisa: tudo! O que acontece quando essas condutas perduram no trajeto do crescimento infantil? Quantos mal-entendidos e confusões podem acontecer em virtude dessa "invasão" dos desejos dos filhos, da falta de distância e de respeito?

Os pais precisam mostrar ao filho que ele é a coisa mais importante da vida deles. Mas que não é a única coisa importante.

A criança contemporânea

> *Saiba: todo mundo foi neném*
> *Einstein, Freud e Platão também,*
> *Hitler, Bush e Saddam Hussein*
> *Quem tem grana e quem não tem.*
> Arnaldo Antunes, "Saiba"

Freud falou sobre isso há muito tempo, mas hoje ainda reverbera o conceito do anacronismo temporal da criança. Esta sempre esteve submetida a uma antecipação: antes de nascer lhe é dado um lugar simbólico (na realidade imposto).

O anacrônico é oposto ao cronológico, e assim vemos que existe uma clara e maciça diferença entre duas palavras que são usadas equivocadamente como sinônimos: infância e criança. Nada disso! A criança é atemporal, é algo que se começa a criar, a arquitetar. A infância é cronológica e temporal, abarca do nascimento à adolescência.

Com a poesia e a sensibilidade que lhes são notórias, Chico Buarque e Sivuca criaram a música "João e Maria", na qual instigam o ouvinte a pensar sobre o tempo da infância com uma frase para lá de fantástica: "agora eu era o rei" – que fala da criança como promessa do futuro e alvo das expectativas e dos desejos colocados nela. A música versa, a meu ver, sobre a criança que o adulto foi um dia e que ele ainda carrega em si. É a vida explodindo em forma de poesia (da boa). Então, concluindo, a infância é o intangível e o coletivo. A criança é uma, única e tangível.

A criança, tanto por sua capacidade de mimetismo e mudança quanto pela cultura que impera em cada época e a olho do observador, foi chamada de selvagem a civilizar, tachada de simples argila a ser modelada, de garrafa a ser enchida. Foi julgada como um anjo puro e inocente e em outro momento como um perverso polimorfo. Atualmente, há rótulos não muito abonadores: tirano, ditador, delinquente mirim.

Ela passou incólume por tudo isso, porém em muitos países não suportou a fome, a doença, a guerra e a violência. Devemos lembrar que nascer em uma tenda no deserto do Saara, em um vinhedo no Sul da França, em um pobre vilarejo da África ou em uma favela do Brasil deixa marcas indeléveis, que incidem fortemente no seu porvir. Mas, de maneira intrínseca, as crianças são iguais, com sonhos, fantasias, desejos e direitos que em algumas regiões do mundo são mais respeitados que em outras.

A criança é o mais curioso dos humanos, perguntadora incessante e elaboradora de teorias instigantes e inteligentes. É uma cientista em busca da verdade! Não se pode encher sua cabecinha com respostas "certas" e unívocas. Não se pode desalentá-la nas suas pesquisas nem ensinar respostas: devemos estimulá-la a fazer perguntas. Temos de ser respeitosos e fundamentalmente ouvir o que ela tem a nos dizer. Afinal, a criança é resiliente, pensante e tem uma lógica incrível até quando diz algo errado. Se nos aprofundarmos na construção dessa suposta ideia errada, ficaremos surpresos ao descobrir o pensamento lógico que levou ao erro.

É o caso de Augusto, menino no alvorecer da paixão pelo mundo dos números e das letras que um dia desses compareceu a uma consulta na minha clínica. A mãe me contou, feliz, que, sem nenhum estímulo familiar (por que começou dizendo isso?), o filho começou a trilhar o caminho da alfabetização, reconhecendo muitos números e quase todas as letras (um autodidata?). Nesse momento, Augusto se aproximou de nós, com uma letra de borracha que achou entre outros brinquedos, e disse rápido à mãe: "Olha que bonito o número T!" A mãe, seguramente pensando em um pequeno lapso linguístico, respondeu: "Você quis dizer que a letra T é bonita". O menino olhou a letra, voltou para perto da mãe, olhou nos olhos dela e replicou enfaticamente: "Mãe, eu falei o número T!"

As mentiras têm pernas curtas. A mãe, em total contradição com o que havia dito no começo da conversa sobre a não intromissão no processo de aprendizagem, lembrou-lhe de como brincavam em casa, assegurando ao menino que ele já sabia distinguir números de letras.

Fiquei observando calado, até que a discussão ficou pesada e o rosto da mãe, crispado, se tornou uma mistura de roxos e violetas. Pelo tom ameaçador da voz da mãe, percebi que era urgente intervir e comecei pelo que achei mais coerente, perguntando ao menino: "Augusto, gostaria muito de saber: por que você acha que o T é um número?" A resposta, monumental e inesquecível, continha uma lógica inteligente: "Sabe, Leonardo, quando descemos pelo elevador no nosso prédio, eu sempre vejo pela janelinha da porta os números: 7, 6, 5, 4, 3, 2, 1, T. Entendeu?" Puxa, se entendi. E não esqueci até hoje. Ele, sem saber, utilizou a teoria dos conjuntos, muito em voga nessa época no ensino da matemática, que afirmava que um conjunto precisa ter sempre os mesmos elementos. Quanta coerência para uma criança de 4 ou 5 anos! O mais incrível é que tempos depois surgiram os prédios e elevadores inteligentes (mas Augusto já os tinha inventado), e as sequências numéricas nas famosas janelinhas passaram a ser: 7, 6, 5, 4, 3, 2, 1, 0, -1, -2 etc. Pois é, não se misturavam mais números e letras.

Lembro também aquela história da Mafalda, genial criação de Quino. Quando essa menina fala, vale a pena ouvi-la com muita atenção. Mafalda abraça forte o irmãozinho, que chora copiosamente, muito triste por ter levado uma bronca dos pais por algum "malfeito". Ela diz: "Desculpa eles, são amadores, mas com o tempo tenho certeza de que vão dar certo!"

É por tudo isso que cada criança deve ser olhada como única e incomparável. Elas não são passíveis de *guidelines* nem de estatísticas generalizadoras e preditivas. Elas nos questionam, nos ensinam e nos desafiam. Aprendemos com elas que não morre no adulto a criança que se foi, que elas precisam de uma história familiar e de muitas narrativas para se constituírem sujeitos. E, finalmente, que têm o direito de viver sua infância.

Os bebês nascem onipotentes e hedonistas, e isso serve como defesa contra as angústias básicas pela sua imensa dependência dos adultos cuidadores para sobreviver. Essas características, úteis nessa época precoce, devem ser limitadas durante seu crescimento por uma educação familiar eficaz e eficiente, que mostre à criança que, além do princípio do prazer, existe o princípio da realidade, que lhe mostra a existência de mal-estares, frustrações e interdições limitadoras.

Os bebês se comunicam de diversas maneiras: sons, agitação e até o choro formam parte de seu repertório comunicador. A criança também está finamente sintonizada com o estado emocional e o ânimo das pessoas próximas. Winnicott afirma que ela está ligada, "com suas antenas", ao inconsciente materno: pode chorar no colo da mãe que está muito triste, ainda que esta não chore.

No próximo capítulo, vamos nos aprofundar em outro aspecto fundamental do desenvolvimento infantil: as crises previsíveis que aparecem com data marcada, as quais são um dos percalços da tarefa educativa. As crianças vão se tornando cada vez mais criativas, com capacidade de simbolização e com muita fantasia, estabelecendo um tênue limite com a realidade.

Por volta dos 3 anos, passam por uma fase de rejeição a coisas novas: usam sempre o mesmo boné ou paninho, independentemente da quantidade dessas roupas no armário e do lamentável estado das peças que teimam em usar com exclusividade. Gostam de ouvir a mesma história e assistir ao mesmo filme várias vezes ao dia. Com isso o desconhecido se torna conhecido e, assim, a criança vai elaborando e entendendo seus medos.

O brincar não é apenas passatempo: trata-se de uma das mais sérias tarefas da criança. É uma atividade constitutiva da simbolização e um atestado de saúde emocional. A criança não brinca no concreto, ela inventa e simboliza. Brincando, entende suas dúvidas e resolve a questão que lhe provoca mal-estar.

Vive intensamente o aqui e agora, já que os aspectos têmporo-espaciais ainda não estão estabelecidos. Segundo sua maneira de funcionar, tudo que ela quer tem características de urgência; seu desejo deve ser satisfeito "agora", "já", com a velocidade da luz. Os pais devem lhes mostrar que elas são capazes de sobreviver ilesas à demora.

Entre os 4 e 5 anos, se tornam "anarquistas", e o motivo dessa denominação é fácil de entender: o derradeiro lema dos anarquistas espanhóis, que não precisa ser traduzido, é: "*Si hay autoridad, yo soy contra*".

As crianças do terceiro milênio, imersas na sociedade moderna, nos colocam questões que remetem às vias que constituem a subjetividade. Tudo está marcado pela pressa, pelas rapidíssimas mudanças, pela obrigação de ter êxito e de ser esperta (sem reconhecer os direitos do outro), pela banalização de valores necessários (ética, verdade, justiça, liberdade), pelo consumo desenfreado, pela valorização do ter em detrimento do ser. E pela renúncia inconcebível dos pais na hora de usar a autoridade necessária na tarefa educativa. Em muitos casos, talvez para não repetir os tapas com os quais foram educados, acabam não dando aos filhos os "tapas simbólicos", representados pela interdição, pelos limites e pela frustração necessários quando se educa uma criança.

As ideias explicitadas nos últimos parágrafos baseiam-se nas ideias do sociólogo Zygmunt Bauman sobre a sociedade líquido-moderna, que difere substancialmente da antiga sociedade sólida e estável.

Na atualidade, o velho está morrendo e o novo ainda não nasceu. Nesse imbróglio aparecem as dúvidas e as "paralisias". A liberdade, as escolhas e a segurança das crianças se fundamentam na existência de fronteiras (limites) firmes e claras, e no encalço disso se encaixa a educação para a cidadania. Os limites marcam as diferenças binárias: poder/não poder, eu/outro, sim/não. Repito: fronteiras bem diferenciadas geram segurança e confiança nas crianças.

Lembrem-se dos astecas, povo que tinha um ritual (ato simbólico) que introduzia as crianças no estatuto de sujeito e cidadão. Na nossa cultura, o ritual não existe, tornando-se um processo longo e incerto. Alguns opinam que é a complexidade da pós-modernidade. Arnaldo Jabor diz que o pós-moderno é aquilo que se fala sobre aquilo que não se sabe o que é!

Para finalizar este tópico, vou citar o poeta e escritor uruguaio Eduardo Galeano:

> Dia a dia, nega-se às crianças o direito de ser crianças. Os fatos, que zombam deste direito, ostentam seus ensinamentos na vida cotidiana. O mundo trata os meninos ricos como se fossem dinheiro, para que se acostumem a agir como o dinheiro atua. O mundo trata os meninos pobres como se fossem lixo, para que se transformem em lixo. E os do meio, os que não são ricos nem pobres, conserva-os atados à mesa do televisor, para que aceitem desde cedo, como destino, a vida prisioneira. Muita magia e muita sorte têm as crianças que conseguem ser crianças.[8]

Eu diria que muita sorte têm as crianças com a capacidade de fantasiar, já que a fantasia constitui o mais precioso recurso interno da resiliência.

Aprofundamento sobre a sociedade líquido-moderna

Tenho dito que, na novela familiar, a sociedade apresenta um duplo funcionamento: 1) ela é a cenografia na qual se desenvolve o enredo;

2) é a protagonista, às vezes assumindo o papel de vilã. Deve-se reconhecer que não se trata de um objeto palpável: está bem mais para algo etéreo. O que existem bem visíveis são os sujeitos-cidadãos que a compõem. Mudar a sociedade é vital, na sua estrutura e em suas ideologias, porém essa mudança deve ser individual, em cada homem que a compõe. Essa é a única saída para uma cidadania saudável.

Os pais desejam para os filhos o prazer, a realização e a felicidade que eles próprios não obtiveram. Por outro lado, a sociedade exige deles que conduzam as crianças pelo caminho que ela escolhe como adequado, aquilo que tem que ver com sua estrutura, sem se importar com a felicidade dos pequenos. Apesar da esperança ou da utopia dos pais de que seu filho constitua a exceção e não sofra frustrações (como todos sofrem), a esperança se desmancha, porque eles ficam enredados na demanda social. A partir daí, usam um discurso pouco original e repetitivo simplesmente porque estão condenados a cumprir essa demanda, ainda que não queiram. É isso que chamamos de educar.

Dado esse frágil alicerce, não poderia acabar de outra forma. A contradição surge quando se educa um filho com um movimento pendular que vai do excesso à falta, sem saber qual é a medida justa e certa. Isto aumenta a confusão dos pais. Nesse contexto, o saber parental foi parar no colo do saber científico (pediatras, psicólogos, educadores).

Quando falei do esforço individual de cada cidadão para mudar nossa atual sociedade, bastante inóspita por sinal, lembrei-me de uma frase de Saramago: "Todos, governantes, cidadãos, homens, mulheres, adultos e jovens, sabem o que se necessita mudar para sair deste atoleiro social, o que falta é a disposição e disponibilidade para pôr em prática a teoria".

Não somos o que somos pelo que os outros fazem conosco, somos o que fazemos com o que fazem de nós.

Chamada de atenção: o nosso mundo está fora da ordem! A sociedade líquido-moderna não reconhece a imobilidade; parece um caudaloso rio que não conserva sua forma e muda segundo a correnteza. E muda rápido.

Tudo que hoje é novidade em pouco tempo estará obsoleto. O que hoje é correto e apropriado se tornará amanhã incorreto, fútil e errado. Exigem-nos muita flexibilidade e "jogo de cintura", mas bastante rapidez. Precisamos estar perpetuamente antenados – o ócio virou um palavrão, por mais que seja de curtíssima duração.

A internet tenta ajudar à sua maneira, virando uma "autoestrada da informação", só que o trânsito nela vira uma enxurrada de informação, nem sempre útil, nem sempre verdadeira e quase sempre excessiva. É difícil discriminar entre uma informação correta e o lixo mentiroso.

Estamos vivendo uma crise bastante peculiar. Na sociedade onde as crianças se sociabilizam e onde acontecem as relações intersubjetivas, os valores antes muito apreciados ficam opacificados. O egoísmo e os privilégios apresentam-se com um brilho intenso.

Lembro-me de uma carta de um leitor-mirim de um jornal de São Paulo, enviada por ele no meio da guerra da Bósnia. Angustiado e triste pela morte de tantas crianças, a sua indignação também era enorme. Segundo ele, quando falava desse infanticídio com seus familiares, ouvia deles para não se preocupar, que a guerra era longe e nunca chegaria ao Brasil. Assim, era melhor parar de pensar na Bósnia. Ele rebatia tal falácia dizendo textualmente: "Por acaso uma criança que sofre ou morre lá não fica triste e morre igual às crianças brasileiras?" O garoto olhava para além do próprio umbigo. Intuía que o mundo ia muito além de si. Ele sofria pelas crianças e ponto final!

Necessitamos de alicerces onde não existe alicerce nenhum. A civilização moderna se especializou no excesso, na abundância e no rápido descarte das ideias e dos objetos. Estamos divididos entre o desejo e o medo, entre a esperança e a incerteza. Até o ato de escolher se tornou ameaçador, porque uma escolha errada nos deixa para trás. A ambição do lucro rápido só é eclipsada pelo insaciável apetite pela novidade (é o aspecto simbólico dos objetos). Somos induzidos a gastar o que temos, o que não temos e o que esperamos ganhar futuramente (o que não é uma certeza). Acontece o mesmo com os objetos socioculturais, o que é muito grave. Objetos, valores e pessoas chegam com um prazo de validade muito curto. Assina-se um compromisso com pompa e ele é anulado da noite para o dia. Pergunto-me se promessa e compromisso foram feitos para ser traídos.

Mas, ainda assim, confio que, se a educação familiar, como a ave Fênix, ressurgir das cinzas, poderemos ter mais confiança nas gerações futuras. Nos humanos se mistura a rebelião e o conformismo, o que faz tardar a mudança. Lembremos que toda maioria começou com uma tênue minoria.

Voltando ao tema da comunicação na sociedade líquida, muitas vezes é difícil discriminar a mensagem significativa do barulho de fundo – a "fofoca" parece ser divertida, mas eu a considero detestável e perigosa.

Se antes se aprendia para acumular conhecimento, hoje temos a cultura da descontinuidade, do esquecimento e do desengajamento. Muitos "surfam" por cima das ondas na leitura do jornal; poucos mergulham em suas profundezas (e são tachados de ociosos ou desocupados). Se alguém cita um editorial interessante, a resposta em geral é: "Olhei rapidamente"; "Eu li" é trocado por "Eu vi". Nada muito grave, já que em poucos dias esse artigo não terá vigência, será esquecido e surgirá outra notícia, que passará pelo mesmo processo. Em poucos minutos e minguadas assinaturas, destrói-se o que precisou de tempo e esforço para ser construído.

O fundamental para nossa análise é o seguinte: a comunicação eletrônica midiática não provocou uma crise na relação comunicante intersubjetiva. Essa seria uma simplificação inocente. O que a mídia fez foi tornar a crise já existente algo evidenciável com maior facilidade.

O apelo subliminar foi: "Você nunca mais estará só". Diante disso, os solitários, os fóbicos sociais e aqueles com deprivação compraram maciçamente a ideia e contaminaram outros espaços. Encobriu-se o vazio, mas em detrimento do encontro presencial, direto, olho no olho. Existem pessoas sozinhas no meio de muita gente. Enquanto todos se comunicam, riem e contam histórias, o solitário olha embasbacado para a telinha.

A outra face da comunicação por meio da tela são as redes sociais, que, emulando o erro de Descartes – "Penso, logo existo" –, permitem dizer: "Sou visto, logo existo". Acaba, assim, o limite entre o que sempre foi da ordem do privado e o que se torna público. Hoje o dito seria: "Existo, logo penso, logo tuíto".

A obsessão de trabalhar em excesso para ganhar muito dinheiro, comprar tudo que nos vendem como última novidade, mostrar para todo mundo nas redes e por fim, com todo o dinheiro que se consegue guardar, desfrutar do ócio merecido é uma meta universal – mas pouquíssimos são os que conseguem fazê-lo.

Vejamos uma história que simboliza essa ideia. O pomposo inglês, passeando pela savana, observa um nativo quase nu, dormindo desbragadamente à sombra de uma imensa e frondosa árvore. Acorda-o com grosseria e lhe diz com rispidez: "Seu preguiçoso, você não trabalha?" O nativo, surpreso, responde: "Para quê?" O inglês replica: "Para ganhar dinheiro, ora!" Sem ainda entender, o nativo pergunta: "Para quê?" O insistente inglês tenta explicar: "Para ganhar dinheiro e desfrutar do ócio". O africano, agora acordado e irritado, conclui: "É isso que estou tentando fazer, mas o senhor não deixa". E volta a dormir.

A metáfora, carregada de paradoxo, explica o que não tem explicação: trabalhar até limites de insanidade para depois não trabalhar, comprar muitos objetos cobiçados para logo trocá-los por outros. As crianças, atoladas de informações ambíguas ou falsas, oriundas tanto da mídia quanto do exemplo dos pais, ficam sem entender, mas exigem a compra de seu próprio objeto do desejo.

Vamos parar de colocar toda a culpa no "mercado": ele foi uma criação dos homens e todos acabamos pagando a conta – menos os homens do mercado!

Continuemos a discutir outros aspectos da sociedade que estamos construindo. Como a família é nuclear e pequena, as nossas casas funcionam como cidade-dormitório: o convívio familiar é escasso. Pior ainda é a atroz banalização da sexualidade infantil em programas rasteiros da TV, sem falar do vil comércio da pornografia em sites na internet.

Ainda assim, sempre aparecem crianças que nos surpreendem positivamente pela espontaneidade, sutileza e sensibilidade. Elas nos afirmam que existe uma luz no fim do túnel e nem tudo está perdido. Cuidando bem delas, não salvaremos o mundo, mas com certeza elas o farão.

Um tema deveras atual é a relação entre dois importantes conceitos: a liberdade e a justiça, e a utilização aberrante de ambos em nossa sociedade. Assim, há indivíduos que menosprezam a liberdade para afirmar a justiça, enquanto outros, ao contrário, menosprezam a justiça para agir com liberdade. As duas posturas são erráticas e perigosas. Ambas as palavras são feitas do mesmo material.

O círculo nada virtuoso entre a sociedade e a infância

Alguns elementos que formam parte desse círculo vicioso e nada virtuoso já foram discutidos. Restam poucos, mas muito importantes: o drama da patologização e medicalização das crianças, a agressão infantil e a permanência de pelo menos dois mitos opostos e falaciosos: o da infância feliz e o da tirania infantil.

Hoje, temos a patologização e medicalização daquilo que Roudinesco chama das "dores da alma". Fazendo isso, rouba-se do ser humano – sobretudo das crianças – o tempo necessário para superar a comoção surgida em momentos críticos.

A tentativa de "curar" com remédios a tristeza, a agressividade, a desatenção, a inquietude, a agitação e os transtornos de aprendizagem se dá em virtude do não reconhecimento desses quadros como sintomas de outros problemas. Pensar o sintoma como a doença em si (falamos da psicossomática) é tão impróprio como se preocupar só com a febre sem tentar revelar o que a causa. Atropela-se o tempo psíquico de que a criança (ou qualquer pessoa) necessita para recuperar sua capacidade de simbolizar. A sociedade como um todo – família, médicos, professores etc. – está envolvida nessa situação e, sem uma visão integradora, ocluem-se esses problemas inconvenientes e incômodos para colocar a criança no patamar da normalidade estatística, a qual ninguém pode dimensionar com o crescente mercado dos medicamentos.

Como eu sou o autor deste livro, devo falar do que penso respeitando sempre o que os pais e outros colegas pensam. A primeira constatação é a da utilização de siglas. Sobre este assunto, Marcuse afirmava que a sigla tem muitas vezes a função de "enevoar", opacificar a realidade da qual se está falando. Ele cita o exemplo da ONU (Organização das Nações Unidas). Na sede do órgão em Nova York, é sabido que não existe organização nenhuma e muito menos união entre os países membros.

Outra questão tem que ver com a história da medicina e da minha história como pediatra desde 1972. Já em 1798, aparece um pequeno texto que parece precursor do conceito de TDAH, sem usar ainda esta nomeação. Em 1940, surgem trabalhos negando a hipótese de ser uma doença neurológica, indicando a psicoterapia como tratamento. Simultaneamente, sintetiza-se o metilfenidato, que era usado como estimulante ante desafios esportivos desgastantes, e também utilizado por estudantes para ficar acordados e focados no estudo. Descobriu-se que, em crianças superativas, ocorria o efeito contrário ou paradoxal, deixando-as mais calmas.

Com o passar do tempo, eu e muitos colegas lutamos ante o advento de diagnósticos que seriam opostos ao que exige uma medicina baseada em evidências, a saber: transtorno comportamental pós-encefalítico, sem que nenhum profissional tenha diagnosticado uma infecção do encéfalo em todo o grupo de crianças; disritmia, que, segundo os defensores dessas pseudodoenças, constatava-se através do eletroencefalograma. Ninguém descobriu um padrão de doença em todos os estudos. Inclusive tratou-se de medicar um suposto transtorno sem nenhum efeito positivo. Depois apareceu a chamada "disfunção cerebral mínima", ainda que sem eletroencefalograma patológico. Por fim, nestes últimos anos notabilizou-se a sigla TDAH.

(*Educar filhos*)

Para finalizar estas ideias, quero afirmar veementemente que a última decisão é a dos pais, a qual tem de ser sempre respeitada. São eles que conhecem bem a criança e, munidos de correta informação, vão poder tomar o que eles acham ser a decisão adequada.

O outro elemento do círculo "não virtuoso" ocupou muito tempo das sociedades médicas e psicológicas: a discussão sobre o que é mais importante, se o inato ou o adquirido (a famosa discussão sobre o sexo dos anjos). Além do gasto de tempo, essa querela provocou o inútil gasto de quantidades industriais de saliva. Uns bradavam: a culpa é da genética! Os outros respondiam aos berros: a culpa é do ambiente!

As duas teorias percorriam caminhos paralelos sem pontos de contato. Os dois lados se desqualificavam e insultavam. Freud colocou "água fria na fervura" e advertiu que existiam as séries complementares. Ninguém é responsável por tudo e ninguém tem nenhuma responsabilidade. O sádico e o masoquista (um não existe sem o outro). Portanto, o desenvolvimento infantil não é um monólogo biológico nem ambiental. É um diálogo frutífero. Mais recentemente, no Projeto Genoma, que catalogou um número significativo de genes, descobriu a epigenética – alterações químicas sem relação com a hereditariedade, oriundas dos hábitos de vida e do ambiente em que o indivíduo se insere.

Nesse sentido, a agressividade infantil, vista como um problema muito sério, na maioria dos casos não o é. Winnicott afirmava que a sociedade está em perigo: não pela agressividade humana, mas pela repressão absoluta das manifestações agressivas da criança.

Também acontece um equívoco na conceituação da agressão. Lembro-me do caso de uma mãe que se queixou várias vezes, em contatos telefônicos, de estar sendo constantemente agredida pelo filho de 1 ano. Na consulta posterior às suas queixas, constatei que essa tal agressão era a tentativa de tirar os óculos do rosto da mãe, objeto que o fascinava. Estabanado, puxava com força os óculos, batia no rosto, puxava o cabelo e, assim que conseguia pegá-lo, a "agressão" cessava!

Em outras situações, vejo os pais surpresos e desconcertados, interpretando as manifestações de oposição, de enfrentamento e de raiva como atitudes de agressão.

A etimologia sempre esclarece. Agressão vem do latim: *ad-gressor*, que em português significa "chegar perto", o que explica algum empurrão, um puxão de cabelos e até uma eventual mordida. A criança mantém certo primitivismo, sem controle motor dos impulsos. Claro que, se a agressão é um mecanismo cristalizado e intenso de uma criança para com todas as outras crianças do grupo, trata-se de um problema pontual a resolver. O resto não passa de experiências elaborativas dentro da relação intersubjetiva. A socialização desse impulso resulta de fundamental importância para a cultura.

Quanto aos mitos relacionados com a criança, o primeiro é o da infância paradisíaca e da felicidade total. Com base nessa premissa se transmitem promessas impossíveis de cumprir. O mundo encantado não existe e algum sofrimento e dor fazem parte do caminho do amadurecimento. Os sintomas emocionais e os mal-estares desmentem o ideal de plenitude e gozo interminável, o que mostra o encontro e desencontro entre a criança e o mito social, entre a criança e o adulto.

O outro mito é o da criança tirana por natureza. Ele surge em princípio pelo erro interpretativo da palavra *tyrania*, do grego, que significa usurpação do poder com crueldade, violência, vexame do tiranizado e opressão. A criança não usurpa, ela vai ocupando o lugar abandonado pelos adultos quando estes se recusam a colocar limites, barreiras ou fronteiras, assumindo a necessária e benéfica autoridade.

Para fechar o capítulo, quero mencionar que estamos obrigados a acreditar na infância como marco fundamental da subjetivação e também a deixar-nos atravessar por ela. Devemos recobrar o "infantil da infância" e ser capazes de suportar o mistério que as crianças escondem.

4. Os percalços evolutivos e amorosos da criança a educar

❧

> Um paciente de 4 anos, totalmente edípico e apaixonado pela mãe, acorda de manhã na cama dos pais e pergunta pelo pai. A mãe responde que ele dormiu em outro quarto por causa do calor. O menino dá um sorriso maroto, abraça a mãe e diz: "Oba! Meu plano deu certo!"
> História real contada pelos pais em meu consultório

Crises previsíveis do crescimento e o Édipo

Essas crises têm lugar de destaque no desenvolvimento infantil. São encruzilhadas das quais os pais tentam descobrir a origem: manha? Doença? Estão, na realidade, imbricadas com o crescimento e a educação. Há crises previsíveis, das quais vamos falar, que aparecem com datas mais ou menos fixas. Existem também as imprevisíveis, que não serão discutidas – e foram temas de outro livro meu, *O direito à verdade*. Correspondem a situações como divórcio dos pais, morte ou doença na família, nascimento de um irmão, adoção etc.

Antes de tudo, gostaria de definir o que entendo por crise. O termo é usado como sinônimo de algo ruim (crise do mercado, do petróleo etc.), mas a definição adequada, etimologicamente, é "força que leva a crescer". Trata-se, na realidade, de uma conjuntura decisiva de transição, quando os padrões conhecidos são substituídos por novos (desconhecidos e angustiantes). As crises são janelas para o desenvolvimento.

Todas as crises têm manifestações semelhantes, mais ou menos intensas em cada uma delas: a criança choraminga de forma intermitente (inclusive de madrugada), sem motivo aparente. Nada está bom e a irritabilidade resiste a todas as condutas executadas pelos pais: não há colo nem indivíduo que a apaziguem. Os pais costumam dizer que a criança está "chatinha". Desorientados diante da mudança brusca de comportamento do filho, acham que pode ser doença, dor, fome ou um comportamento errático. Nada disso! A criança está passando por uma crise transitória, que não dura muito mais que um par de semanas. Porém, infelizmente, passada essa crise outras surgirão.

Faço aqui esses esclarecimentos para evitar medicação desnecessária (para dor de dente, de ouvido ou cólica). Estamos falando da dor de estar crescendo!

A crise do primeiro "não"

Perto do segundo mês, o bebê apresenta uma manifestação inédita. Ele vinha mamando com prazer, mas de um momento para o outro, e sem aviso prévio, suga o seio três ou quatro vezes e para, se joga pra trás e estica os bracinhos para a frente, como que se afastando do peito materno. Se a mãe insiste em introduzir o bico na boca do bebê, ele fica mais agitado, chora alto e pode dormir. A mãe, pega de surpresa, fica ansiosa e, o pior de tudo, acha que acabou o leite ou que seu filhinho a está rejeitando.

Não se deve gastar dinheiro com leite para complemento nem com terapia. É normal. É a primeira vez que a criança diz "não", que não significa "não gosto do seu leite nem de você" ou "não estou com fome". Ela está tentando dizer "não quero agora, pode esperar um tempinho?" Isso é tão verdadeiro que se a mãe guarda o peito, sai do local da mamada e distrai o bebê, pouco depois ele se mostrará o mesmo comilão de sempre. Simplesmente porque sua mãe teve paciência e respeito nessa hora, o bebê lhe dirá: "Agora, sim, eu quero".

(Educar filhos)

Crise do fim da simbiose entre mãe e filho

Simbiose é um termo da botânica que significa "influência ou ação recíproca entre duas espécies que vivem juntas". No ser humano, o limite corporal entre a mãe e o bebê é quase inexistente. Nenhum deles sabe onde começa e acaba o outro.

No quarto mês de vida do bebê, abre-se uma fresta, larga o bastante para que ele perceba que a mãe e ele não são um, e sim dois, ainda que fiquem perto. A criança, assim, começa a usufruir do mundo que vai além do seio materno, que até então era o único universo que ele conhecia e amava. Podemos brincar dizendo que antes o nenê caía de boca no peito e agora cai de boca no mundo. Mas isso não acaba em pizza, como é usual no Brasil; acaba em crise – como todas elas, dura duas ou três semanas.

A mãe, em vez de ficar triste, deve criar períodos de presença e de ausência curtos e intermitentes, para mostrar que o afastamento de fato existe, mas que depois de um curto período ausente ela retornará. Assim o bebê aprende que a separação não é desaparição nem perda definitiva da mãe. É bom demorar alguns segundos para atendê-lo quando ele reclama, criando um tempo entre a demanda e a sua satisfação. Com isso, a criança aprende a "domar" sua onipotência, que só aumentará se a chegada da mãe se fizer em milésimos de segundo. Ao mesmo tempo, o bebê constata que não é só a presença da mãe que a acalma: a voz materna também pode deixá-la mais tranquila.

Crise da formação do triângulo familiar

Após o fim da simbiose, a figura do pai surge para o bebê com muita nitidez. O que é bom, porque cristaliza para a criança seu afastamento da mãe (função paterna de corte). Definitivamente, o bebê tem uma mãe e um pai.

Na prática clínica, ouvimos das mães que estão se sentindo um tanto deslocadas, que percebem que "não são tudo para o filho". É como se elas se sentissem "traídas" pelo filho, que começa a olhar para o pai e a brincar com ele. A mãe perde o protagonismo absoluto, que reforçava a sua onipotência. E isso não é ruim, pois a criança precisa formar parte de um triângulo emocional familiar.

"Depressão" da criança coincidente com a dentição

O "baixo-astral" da criança tem dois componentes. O primeiro deles se dá na esfera orgânica, em virtude da erupção dentária, da salivação excessiva, da recusa alimentar pelo incômodo, das fezes amolecidas e do sono entrecortado provocado pela dor nas gengivas. Pode aparecer febre – não provocada pelo dente em si, mas por algum vírus que se aproveita desse estado emocional negativo, o qual baixa o sistema imunológica da criança.

O segundo componente do "baixo-astral" atua no momento em que a criança tem predileção por – e necessidade de – morder em vez de sugar. A psicanálise chama essa fase de "oral canibalística", que é um tanto forte, mas bem demonstrativa. Sugar o bico do peito materno é uma coisa, mas mordê-lo é bem diferente. A mãe usa seus direitos para manifestar sua dor pela "agressão dolorosa"; bem aparelhada de sensibilidade, ela não é feita de aço. No bebê surge um sentimento muito sofrido e ambivalente de agredir a quem é seu objeto de amor. O sofrimento aumenta a sensação depressiva dessa fase. Há ocasiões em que se deve suspender o aleitamento materno para não acirrar a crise.

Angústia de separação ou do oitavo mês

A criança descobre, definitivamente, que a mãe é um indivíduo separado dela. Trata-se de uma fase importante, fundamental e decisiva, mas a criança não sabe disso: vivencia-a como a possibilidade de perder a mãe para sempre. Durante a noite, acorda muitas vezes, "mais que o recomendável" para a tranquilidade e o descanso que os pais, e também o bebê, merecem e de que necessitam.

Inconscientemente, a criança, ao acordar e chorar com intensidade, tenta "recuperar" sua mãe, trazendo-a para perto. O pior para a mãe é que, se o pai tenta ajudá-la indo ao encontro do bebê, este fica pior, porque o pai "não é a minha mãe"! Conclusão (triste!): a mãe deve atender ao filho cada vez que ele acorda.

Porém, o que não se deve fazer é justamente o que mais se faz! Por exemplo: colocar o bebê na cama do casal é trocar algumas semanas sem dormir por um hábito difícil de debelar. Ou, então, oferecer alimento para acalmá-lo. Ele não tem fome, mas saudade!

Por sua vez, existem algumas estratégias para minimizar a crise. A mãe pode brincar diante do espelho com o filho, saindo e reentrando no campo especular. Assim, o que está ausente reaparece. Outra estratégia é a mãe brincar com o filho com um brinquedo "naninha" ou outra coisa pela qual ele tenha mostrado predileção, fazendo uma triangulação mãe-objeto-bebê: vai se passando o brinquedo de um para o outro, enquanto a mãe lhe "empresta" seus cheiros, perfumes, beijos e saliva. Esse objeto se "libidiniza" e passa a "ser a mãe" ou objeto transitivo/acompanhante. A criança se tranquiliza com ele, segurando-o para dormir e, mais ainda, acorda com ele – o que a ajuda a perceber que, durante o sono noturno, nada se perde num Triângulo das Bermudas caseiro.

Também é recomendado brincar de esconder o rosto do bebê com um paninho e perguntar: "Cadê você? Achei!" Logo a criança se habitua à brincadeira e se tranquiliza.

Fase da ambiguidade entre a desejada independência e a dependência

O bebê deseja ser mais autônomo e sair de perto dos cuidadores, mas ao mesmo tempo quer manter a aconchegante e calmante dependência. Essa fase coincide com o início dos primeiros passos. Uma cena frequente: a criança, no colo dos pais, se esforça para descer ao chão, caminha alguns metros, se detém e volta o mais rápido possível para o colo de onde saiu. Então, repete a experiência várias vezes, indo cada vez mais longe. Há um momento em que o nosso "bandeirante" cria coragem para explorar territórios longínquos e não retorna. É bom os pais irem visitá-lo, porque pode estar preparando uma bela bagunça.

Tenho observado que os pais também entram em contradição com esse novo momento evolutivo. De um lado, ficam felizes pelas conquistas e "proezas" da criança; de outro, sentem-se um pouco incomodados com a "perda" de seu bebezinho dependente, que parece não precisar tanto deles. Esse sentimento é travestido em cuidado que se racionaliza, como a evitação de traumas e quedas.

Crise de oposição ou negativismo

Começa após o primeiro ano de vida, chega ao ápice aos 15 meses e se mantém até mais ou menos os 2 anos. Os diálogos entre pais e filhos assumem uma modalidade muito especial. O pai diz "vem" e a criança vai para o sentido oposto. A mãe diz "não mexe" e o filho mexe. As crianças usam copiosamente a palavra "não". Até para aquilo que devem dizer "sim" elas teimosamente dizem "não". Não aceitam as interdições e, quando frustradas, respondem com a escandalosa e temida "birra" (chilique). Além de externar sua indignação, testam quem é quem no grupo familiar. É como se fosse uma queda de braço, sendo recomendável que os pais ganhem todas. O filho tem de aprender que não há birra ou malcriação que faça um "não" virar "sim". Não se trata de tarefa amena, embora seja fundamental.

A birra muda de endereço, mas mantém características mais ou menos retumbantes em cada criança. Esta emite decibéis não tolerados pelo ouvido humano, parece que vai parar ou para de respirar na expiração (há casos em que a criança perde por segundos os sentidos e logo os recupera, sem consequências). Fica vermelha, juntando muita saliva nos lábios, se joga no chão e dá murros e chutes nele. Transmite a falsa sensação de criança espancada ou "possuída". Fica fora de si e com certeza já não lembra o que motivou o início do espetáculo.

A primeira reação adequada é não repetir condutas estereotipadas que colocam "mais gasolina na fogueira". Gritar igual ao filho é ridículo e inócuo. Além do mais, as crianças percebem o calo que dói nos pais com sua conduta, e é ali que vão continuar pisando.

Não recomendo fazer de conta que nada está acontecendo. Primeiro, porque algo está acontecendo, sim! Segundo, porque se perde uma boa oportunidade de educar o filho. Terceiro, porque este acha que falta comprometimento dos pais em um comportamento que está fugindo da curva. Quarto, porque os filhos podem chegar a pensar que seus pais são "cegos e surdos".

O que também não se deve fazer é adotar uma atitude chantagista, prometendo presentes e benesses caso o filho cesse a conduta de enfrentamento.

O ideal é que quem estiver testemunhando a cena chegue perto do tormentoso sujeito e profira com a maior calma, clareza e firmeza um discurso mais ou menos assim: "Eu sei o que está acontecendo (alguém tem de saber, já que a criança não sabe mais). Sei que você está com muita raiva por não ter conseguido isso ou aquilo. Essa raiva não deve ficar dentro do seu peito; ela tem de sair, e é justamente isso que você está fazendo. Isso vai lhe fazer bem e deixá-lo mais sossegado. Quando você se sentir melhor, estarei esperando você para brincar.

Quando seu filho se acalmar, não o elogie porque assim ele está bonitinho e durante a briga tudo era feio. Delete o que aconteceu um pouco antes da birra até o momento que for procurado. A criança não deve ser superdimensionada nem elogiada por ter parado o chilique. Não a critique pelo momento difícil pelo qual você teve de passar. Apenas volte a brincar com ela.

Antes de falar sobre a crise edípica (a última a ser discutida), quero resgatar três momentos em que o "não" da criança tem protagonismo importante: aos 2, 9 e 15 meses – quando respectivamente recusa o alimento (2 meses); se nega a fazer ou a deixar de fazer alguma coisa e faz que não com a cabeça (entre 9 e 12 meses); e diz "não" (com 15 a 24 meses), que vem acompanhado de todo um cortejo comportamental (as famosas birras).

Então, se a criança tem direito ao "não" (Freud opinava que este auxiliava na construção de sua personalidade), também tem a obrigação e o dever de ouvi-lo da boca de seus cuidadores.

Crise edípica – A sexualidade e o erotismo afloram na criança

A sexualidade infantil surge como um rio caudaloso. É uma lenda que explica a origem da identidade sexual. Essa fase chega para todas as crianças, de qualquer nacionalidade ou sexo, ricas ou pobres, quer convivam em uma família tradicional, monoparental, homossexual etc. Nenhuma criança foge do Édipo!

A crise edípica chega por volta dos 4 anos e meninas e meninos não escapam da torrente de pulsões eróticas que os atinge. Os pais não conseguem deixar de ser alvo dessas pulsões.

Usa-se, em geral, um batido clichê apaziguador, que tenta simplificar a questão que atenta contra os anjinhos castos e puros. Afirma-se de forma ingênua que o menino sente um forte amor romântico pela mãe e tenta se interpor entre esta e o pai, enquanto a menina se enamora do pai, deixando a mãe de fora. O psicanalista francês J. D. Nasio rebate essa teoria romântica do complexo edípico e põe as coisas em seu devido lugar. Ele afirma que Édipo é, na realidade, uma história de sexo e erotismo (também amorosa) inconsciente, que anseia pelo prazer no contato, nas carícias e nos beijos e na tentativa de visualizar e tocar o corpo dos pais.

Por favor, não fiquem bravos, não parem de ler! Bebam um copo d'água e me escutem: não estou dizendo que vocês convivem com um perverso, muito menos com um tarado sexual. Não estou pedindo que deixem de beijar e acariciar seus pequenos. Tudo isso é normal, mas o carinho saudável e amoroso dos pais nessa idade ecoa (como nunca) nas fantasias inconscientes infantis como algo muito estimulante.

Na realidade, o Édipo constitui um paradoxo monumental: é um desejo próprio do adulto numa cabecinha e num corpo infantil, com o objeto disso sendo seus pais. Isto assusta a criança pelo tamanho e perigo de seus desejos inconscientes, que podem implicar a perda do amor dos pais. Ela intui que o perigo é ter seu corpo desgovernado, regido por seus impulsos. Assim, sua mente parece estar prestes a explodir diante da quantidade de "ideias ruins", do amor pelos pais e do medo de ser punida (lei do interdito do incesto).

(Educar filhos)

Os pais, além de não entender, de não interditar e de pensar que algo esquisito está acontecendo com a criança, podem certamente ajudar com atitudes simples – como não tomar banho com os filhos, não ficar nus no convívio familiar, não permitir beijos na boca e em outros locais alvos de erotismo, como seios e perto de genitais.

Não estou questionando a conduta de ninguém; apenas almejo cuidar da cabeça da criança. Essas condutas, sem limites e muito modernas e liberais, podem atrapalhar a resolução normal do complexo (crise).

Assim, a melhor postura é construir um dique (firme) que contenha a turbulência (tipo *tsunami*) das pulsões eróticas, mostrando que para fazer coisas de adulto a criança tem de comer bem e virar adulto. Essa conduta carrega um interdito e uma promessa para o futuro. Lembremos que a "falta" impulsiona a criança no desejo de crescer.

Outra coisa que deve ficar clara é que as crianças podem pensar o que quiserem (nada é proibido), mas que muitas coisas em que pensam não poderão ser realizadas. Talvez seja uma belíssima oportunidade para situá-la em seu devido e real lugar dentro da hierarquia familiar: o de criança!

Também deve ficar claro que filho não dorme na cama dos pais (que é denominada cama de casal!), que a futura mulher ou homem escolhido não deve pertencer ao âmbito família e, por fim, que ele só dormirá com outro ou outra quando crescer.

Se a situação for bem conduzida, as crianças (que reagem de maneira intransigível), por falta de outra saída e pelas atitudes dos pais, esquecem e protelam a realização de seus candentes desejos. Assim, o desejo primitivo e "selvagem" transforma-se em um desejo socializado.

O Édipo começa com a sexualização dos pais e acaba com a dessexualização destes. Os três operadores que pontuam o nascimento, o apogeu e o declínio do Édipo são: os desejos incestuosos, as fantasias e a identificação com os pais. Trata-se de uma alegoria da luta entre as forças impetuosas do desejo e as forças da civilização. O resultado é o reconhecimento dos limites da lei e a canalização, pela criança, do desejo transbordante.

Educação, família e escola

Os antigos sempre falavam em "aprendizagem para a vida toda", e este deveria ser o fundamento de todo projeto educativo. Isso significa uma boa alquimia entre liberdade para criar e interdição/disciplina.

A escola representa para a criança o mundo social. É a ponte entre a família e a cultura. O ato de ensinar é ético quando se apoia no reconhecimento da infância como uma etapa importante da vida. Quem pretende educar se converte, em certo modo, em responsável pelo mundo ante o neófito. Hannah Arendt, bastante dura e cáustica, disse textualmente: "Se lhe repugna essa responsabilidade, mais vale que se dedique a outra coisa".

A educação é, antes de tudo, a transmissão de algo, e só se transmite aquilo que o transmissor considera digno de ser conservado. A educação tem como objetivo completar a humanidade da criança. Isso não pode se realizar de forma abstrata ou genérica, não consiste no cultivo de algo que está latente em cada indivíduo. Na realidade, trata-se de cunhar uma precisa orientação social que cada comunidade considera preferível. O ideal seria que a escola não transmitisse exclusivamente a cultura dominante, mas o conjunto de culturas em conflito ou oposição com a do grupo a que se pertence.

A pedagogia idônea deveria estimular a criança a "desejar ter o desejo" de aprender de outro. Seria formidável que educar fosse um ato realizado entre pares não antagônicos, sujeitos lado a lado com a mesma intenção. Não pode existir uma assimetria opressiva e distanciadora entre quem educa e quem aprende. No cerne da educação se encontra o diálogo (falar e ouvir bidirecionalmente). Falar quando existe um ouvinte e ouvir quando existe um falante. O que lamentavelmente nem sempre acontece com a criança dentro e fora da escola.

──────(Educar filhos)──────

Todo produto educativo que se fundamente exclusivamente na capacidade intelectual do aprendiz, sem considerar a dimensão subjetiva dele, acaba provocando sintomas que, de forma errada, são denominados transtornos de aprendizagem ou fracasso escolar.

Não é nenhuma casualidade que quando a criança passa por um problema isso se manifesta em dificuldades escolares (aprendizagem). Tenho observado que é um sintoma muito eficaz, porque chama a atenção dos pais. Em primeiro lugar porque ofusca o êxito futuro do filho (desejo narcísico dos pais). Em segundo, porque gera frustração familiar, uma vez que os pais estão fazendo um caríssimo investimento econômico que parece fadado ao fracasso.

Assim, a criança provoca dor, mágoa e incômodo nos pais, mas consegue ser olhada e ouvida por eles em seu verdadeiro problema.

A educação é, sem dúvida nenhuma, a mais humana e humanizadora de todas as tarefas realizadas com as crianças. Educar não é uma fatalidade irreversível, mas não se pode renunciar a ela. É um ato de coragem, porque a educação é válida e é valiosa.

Na criança que está aprendendo, o prazer e a frustração têm um viés pedagógico. Quando constata sua ignorância, esta a impele a aprender. O "não saber" constitui algo que falta, e a criança deseja crescer e aprender.

No âmbito do ensino/aprendizagem, processar a informação não é igual a compreender significados. Pichon Rivière, psiquiatra europeu que morou na Argentina por muito tempo, cunhou a palavra "ensinagem", ou seja, a dupla missão de educar aprendendo e a de aprender ensinando.

Segundo os preceitos anteriores, o primeiro conceito a ser transmitido na educação das crianças é que elas não existem de forma isolada. Nossa condição humana implica trocas com os "parentes simbólicos" – os outros seres humanos que possibilitam e confirmam essa condição (troca).

O segundo conceito a ser transmitido ao educar é que as crianças não são as iniciadoras da nossa linhagem. Que se nasce em um mundo no qual já estão vigentes as marcas do humano e implementadas as tradições normativas culturais das quais o novo indivíduo tomará parte.

Quando a família cumpre adequadamente sua tarefa de socialização primária, a escola poderá completar a secundária com mais simplicidade e plenitude. Caso contrário, professores, colegas e amigos terão de despender um enorme esforço, tentando (nem sempre com êxito) completar o que não foi feito dentro de casa. Ou seja: continuarão a chegar às escolas "hordas" de pequenos inadaptados, onipotentes e hedonistas, que acham que tudo podem.

A disciplina, que soa como estratégia de ensino rígida e autoritária, é algo que deveria existir em toda instituição de ensino desde a educação infantil. A palavra vem do grego *discipulina*, composta por *discis*, ensinar, e *pueripuella*, criança. Pronto: ensinar crianças sobre o que pode e o que não pode, sobre o que está certo ou errado, bom ou ruim. Dos professores, sanados prioritariamente os velhos problemas – baixos salários, hierarquização de tarefas, capacitação eficiente e, no Brasil, falta de segurança –, devemos esperar, além da afetividade, que tenham liberdade para ensinar o que sabem bem, além de entrar no campo desconhecido de temas que não dominam, mas são apresentados pelos alunos. Aprender junto com eles é o que se chama de pesquisar.

Por outro lado, se a experiência pedagógica se torna algo tedioso, sem que surja o novo, o inesperado, isso impede que a experiência viva das crianças seja testada.

Nesse campo, vou me apoiar em Mafalda, sempre mordaz, incisiva e demolidora, além de muito inteligente, características que fizeram Julio Cortázar, quando lhe perguntaram o que ele pensava da menina, responder muito sério: "O que eu penso da Mafalda não tem a mínima importância, o que me preocupa é o que ela pensa de mim".

Mafalda: "O boi baba".
Coleguinha: "Vovô viu a uva".
Mafalda: "O rato roeu a roupa".

(Educar filhos)

Coleguinha: "O Dito deu seu dado".
Mafalda: "Você não acha que depois que a gente aprendeu a ler, nossos diálogos ficaram mais literários?"

Algo sumamente importante é que quem ensina tem de tolerar o "não saber". E, quando ensina, tem de sair do lugar "do saber" para, assim, ser o portador do conhecimento sem se achar "o conhecimento".

Os professores, em diversas oportunidades, devem reconstruir, sem destruir, as ideias cristalizadas e, junto com seus alunos, gestar novas ideias. Assim como se pode falhar na aprendizagem, se pode falhar no ensino.

Um dado interessante: pouquíssimos casos de transtornos na aprendizagem se devem a déficits biológicos. Em geral, tais problemas têm que ver com alterações na instalação do registro simbólico. Algumas crianças têm dificuldade de perguntar o que não entenderam, enquanto para outras, em virtude de segredos e mentiras familiares, "saber" se torna perigoso. Há aquelas cuja plenitude do espaço mental, com suas angústias e mal-estares, está relacionada com alterações dos vínculos familiares. Elas pensam em seus problemas e não conseguem acompanhar o conteúdo pedagógico durante as aulas. Criança de corpo presente, mas mentalmente ausente.

O problema da mentira é muito grave. Quando a criança descobre que foi enganada, deixa de acreditar na palavra dos pais e de outros adultos, inclusive dos professores!

A libertação da inteligência aprisionada (nome do livro da sensível psicopedagoga argentina Alicia Fernández) não pode ser esquecida, à luz do que foi dito anteriormente. O reforço escolar não melhora a situação. Passa, sim, pelo atendimento dos problemas que originam as dificuldades nos processos intelectuais, pensando a criança como um sujeito complexo e completo, e não como uma garrafa que deve ser preenchida com informações. Estou falando de um tratamento psicológico profundo e idôneo que facilitará o reencontro da criança com o prazer perdido de estudar e aprender.

Conheço casos de crianças em que o desejo de aprender está enevoado pelos desejos projetados nelas pelos pais. O que acontece nessa confusão é que o desejo de saber faz par com os desejos de não saber. Vejam alguns exemplos: uma mãe diz ao filho que seria ótimo se ele fosse médico, como seu avô médico famoso e bem-sucedido. Enquanto isso, o pai o instiga a ser ambicioso, esperto e rápido como ele próprio – que se gaba de não ter título nenhum, mas tem faro para fazer negócios lucrativos. A partir dessa dicotomia, surge uma constelação de significados que facilita o aparecimento da dupla saber/não saber.

No Brasil, é relevante a relação entre carência econômica e dificuldade de aprender. Não podemos negar que nas classes desfavorecidas o acesso escolar é difícil, há menos possibilidades de desenhar, de fazer garatujas, de ouvir narrativas ou histórias contadas pelos pais, além do eventual analfabetismo nos adultos. Mas cuidado com as simplificações. Apesar de todos esses aspectos, não se pode eleger a pobreza como único fator existente nos transtornos da aprendizagem, porque se estaria tirando dessas crianças o direito de serem sujeitos do desejo, da linguagem, da possibilidade de ter fantasias e mal-estares como toda criança. E, por último, de serem capazes (muitas delas) de estudar e se transformar em cidadãos bem-sucedidos.

Voltando ao problema dos transtornos de aprendizagem, eles são um sintoma, não um déficit singular, e têm uma significação simbólica – o sintoma alude e ilude o conflito. Alude ao mostrar uma "cicatriz", que é o conflito; ilude para evitar entrar em contato com a dor motivada pelo conflito.

Segundo Morin, o conhecimento deve ser pertinente para se situar no contexto social e ficar a serviço dos outros. Assim se viabiliza a educação para a cidadania. Nem mais nem menos.

Outro assunto recorrente nas salas de aula é o da criança desatenta. É imprescindível, antes de entrar no tema e também na prática, antes de fechar diagnósticos perigosos nos transtornos de atenção, definir em profundidade o significado de atenção.

(Educar filhos)

Um primeiro tópico – e algo básico e cotidiano – consiste na afirmação repetida e simplificadora de que uma criança, para estar atenta, tem de olhar fixamente nos olhos de quem fala. Verdadeira falácia: a criança pode olhar o tempo todo nos olhos e estar pensando em outras coisas. Outra pode estar olhando na direção oposta de quem está falando e estar muito atenta.

Constato isso nas consultas, conversando com os pais sobre algum mal-estar ou sintoma do filho enquanto este permanece longe da conversa e envolvido na brincadeira, fazendo os bonecos brigarem ou imitando a voz dos personagens. Porém, no preciso instante em que se emite uma opinião sobre ele, para de brincar, se aproxima do grupo e faz um comentário pertinente e lúcido, dando opiniões a partir do seu ponto de vista. Isso não tem nada de desatenção, parece muito mais com a atenção flutuante dos psicanalistas.

Alicia Fernández tem um olhar novo e abrangente sobre esse tema. Ela diz que a criança tem de estar um pouco distraída ou desatenta para deixar-se surpreender e suficientemente atenta para não deixar o surpreendente passar.

A fim de resgatar nos alunos a potência atencional, os professores têm de ficar muito atentos ao grupo. E também ser inventivos e liberar as crianças do tédio, do esvaziamento afetivo, não banalizar os mal-estares afetivos delas nem esquecer os aspectos subjetivos.

Com respeito à subjetividade da criança, creio haver aí uma questão vital: os alunos realmente desatentos continuam sendo sujeitos.

Outro aspecto de suma importância é distinguir distração de desatenção. Não se é desatento se está (neste instante) desatento. Além disso, é preciso destacar que é o movimento oscilatório entre a distração e a atenção que permite à criança aprender.

As expressões cotidianas e populares costumam carregar muita verdade e lógica. Dizemos: "Algo chamou minha atenção" quando algo nos atrai e mobiliza a nossa resposta atencional. Gostaria de poder ouvir das crianças "O professor chamou minha atenção" sem se referirem a reprimendas...

A atenção é uma atividade "entre" um sujeito que ensina, chama a atenção, e outros sujeitos que aprendem. Diz um provérbio chinês:

> Se pretendemos colher em um ano,
> Devemos plantar cereais.
> Em uma década,
> Devemos plantar árvores.
> Mas para colher a vida inteira
> Devemos educar as crianças.

Aprender por meio da comunicação com nossos semelhantes, da transmissão deliberada de pautas, valores e lembranças, é um processo necessário para atingir a plena estatura humana. A genética nos predispõe a percorrer o caminho para atingi-la, mas é apenas por meio da educação e da convivência social que se consegue ser efetivamente humano.

Ser realmente humano é entender que, embora a realidade não dependa de nós, o significado dela resulta da nossa competência. A sociedade prepara seus novos integrantes do modo que lhe parece mais conveniente para sua conservação, nunca para sua destruição (salvo em ditaduras sangrentas). Só se consegue transmitir valores morais e o caminho da cidadania viável recorrendo às informações históricas, à realidade crítica do presente, às leis vigentes e à cultura estabelecida. Mas também falando de outras culturas e de outros países, além de fomentar reflexões socioculturais com um viés interdisciplinar.

Acho este um bom momento para esclarecer o significado da palavra "cultura". Esta costuma ser usada como sinônimo de requinte, mas na realidade é um estilo de vida, um modo de ser e de atuar no mundo. A cultura é parte intrínseca da liberdade humana.

Cultura, ética e liberdade na criança e na família

A reflexão ética não é um baluarte filosófico. No dia a dia, trata-se de parte essencial da educação, estando nela embutida. O objetivo da ética é a formação do cidadão, e não apenas o bem-pensante: o alvo é o cidadão livre-pensador. Não deve estar centrada no oferecimento de um receituário de respostas prontas e moralizantes.

Nós, seres humanos, não sabemos tudo; aliás, ignoramos muitas coisas. Algumas das que não dominamos (física quântica, dialeto africano) nos permitem viver com os outros, razoavelmente bem e até felizes, ao passo que outras têm de ser aprendidas, uma vez que são fundamentais para viver harmonicamente em sociedade.

Pode-se viver de muitas maneiras, mas é importante saber que algumas delas impedem o ser humano de viver bem consigo mesmo e com os outros: a mentira, o não reconhecimento da alteridade, o desrespeito, a onipotência, a esperteza antiética, o manejo errado da liberdade, as escolhas erradas etc.

Em toda escolha existem paradoxos, porque os humanos, diferentemente das formigas-brancas da África, precisam decidir o que fazer em cada situação – lembrando que fazer uma escolha não é se deixar levar pelos outros. O homem pode querer (ou não) fazer alguma coisa: é o pesado fardo da liberdade de escolha. As formigas estão programadas geneticamente. Elas não escolhem: são regidas pela programação da espécie.

Octavio Paz, prêmio Nobel de literatura, disse em seu livro *A outra voz*[9]: "A liberdade não é um conceito filosófico nem sequer uma ideia, ela é um movimento da consciência que nos leva, em certos momentos, a pronunciar um de dois monossílabos: o sim e o não, que na sua brevidade desenham o sinal contraditório da natureza humana".

Não somos livres para escolher o que nos acontece, mas o somos para dar a nossa resposta ao que nos acontece, de um jeito ou de outro. Há coisas que dependem da nossa vontade, e isso é ser livre, mas nem tudo depende dela: nem todas as vontades podem ser satisfeitas. Às vezes nos frustramos, adiamos desejos ou simplesmente os esquecemos.

Podemos pensar sobre todas as nossas vontades, mas não podemos executá-las antes de escolher. E, com a liberdade de escolha, aparecem os erros. De acordo com o filósofo espanhol Fernando Savater, diante de escolhas devemos pensar com calma, porque assim vamos adquirindo certo "saber viver".

A atividade pensante nos singulariza. Quando consegue diferenciar o pensar do dizer, a criança também é capaz de diferenciar o pensar do fazer.

De novo, Alicia Fernández nos presenteia com um caso: um diálogo entre pais e filho ao fim de uma longa e cansativa (além de chata) viagem de carro.

> Pais: "Parabéns! Você se comportou bem na viagem".
> Filho: "Eu vim pensando em quanta bagunça poderia fazer e não fiz".
> Pais: "Que ótimo poder pensar e não fazer. Você será escritor".
> Filho: "De jeito nenhum. Serei veterinário".

O começo da conversa dos pais foi ótimo, mas eles pegaram um atalho, se perderam e acabaram criando uma conversa paralela – a afirmação de uma expectativa adulta sobre vocação. O menino não estava preocupado com o futuro, nem com o que ia ser. Estava feliz porque aprendera a diferença entre pensar e fazer, constatando ser capaz de se autolimitar. Por fim, deixou claro que também podia pensar sobre suas futuras escolhas, que talvez não coincidissem com as dos pais.

Pensar introduz ativamente a questão da ética. Silvia Bleichmar afirma que os pré-requisitos do sujeito ético são mais precoces do que se supunha e surgem na relação dual com o outro, antes que um terceiro dirima com ele o que é justo e ético. Vejamos o exemplo do Dudu, menino de 7 anos inteligente e sensível.

Brincando com Pedro, seu melhor amigo, no parquinho do prédio em que moravam, deu-se uma violenta briga – talvez pela posse de um brinquedo ou pela mudança intempestiva das regras de um jogo com o objetivo de ganhar. O pai do Dudu, atento, separou a briga e resolveu convidar o filho para uma caminhada, a fim de desanuviar o ambiente.

Na rua, os dois olhavam para o chão e murmuravam coisas ininteligíveis, cada um dentro da "bolha" de seus pensamentos. De pronto, Dudu saiu do ostracismo e perguntou: "O que é a liberdade, pai?" Este, ainda fora do ar, respondeu no automático: "É fazer o que a gente quer". O menino, surpreso e inconformado, o interpelou: "Mas não com os outros, né?"

O menino, no momento da conversa, pensou, avaliou, interrogou a lei (o pai) e não ficou convencido nem satisfeito com a resposta: convocou o pai a pensar junto com ele. Dudu, identificado com o Pedro, seu amigo, quer preservá-lo e, ao mesmo tempo, continuar sendo ele mesmo. Para ele, o nó górdio está representado em como viver – com o outro ou contra o outro. Seu conceito de liberdade incluía o outro. Sem compreender que estava sendo ético, sabia que não se pode querer qualquer coisa à custa da relação com o outro.

A ética não pode ser ensinada de modo temático e teórico como a matemática ou a música. A ética se ensina pelo exemplo nas atitudes diante da vida e nos relacionamentos intersubjetivos – deve vir acompanhada de um ideal de vida e de um projeto que vise à construção de uma cidadania possível.

Brincadeiras, brinquedos, narrativas e o sujeito

Os brinquedos e o brincar

Para começar, devemos construir uma ponte que liga o antigo brinquedo artesanal, que permitia à criança inventar suas brincadeiras, fantasiando e simbolizando o tempo todo, aos novíssimos brinquedos digitais (eletrônicos), nos quais a supremacia da imagem é nítida e, mais que criatividade, a criança deve ter rapidez visomotora (olho-polegar).

A importância do brincar não é uma descoberta contemporânea nem da ciência. Heráclito dizia que "o destino está nas mãos de uma criança que brinca". Já Nietzsche afirmou que "a maturidade do homem se percebe quando ele reencontra a seriedade com a qual brincava sendo criança". Mais recentemente, Winnicott postulou que "uma criança que não brinca nem simboliza pode ter problemas psicoemocionais".

Brincar não é exclusivamente um divertimento ou passatempo; ao contrário, trata-se de algo muito sério e útil como experiência autoral da criança. Enquanto brinca pelo prazer de brincar, sem demandas de outra pessoa, ela tenta entender sua vida, suas alegrias, seus desconhecimentos e medos que não consegue elaborar pela palavra. Quando brinca, a criança transforma a realidade do objeto. Tanto é importante o brincar que, no caso de crianças que precisam de ajuda terapêutica, a técnica utilizada é a ludoterapia (terapia baseada nos brinquedos e no brincar).

O brincar expõe a criança à divisão entre acreditar e, ao mesmo tempo, não acreditar que os objetos são o que são. Vejamos, uma criança que brinca com uma cadeira acredita que esta é um avião, então faz o barulho do motor, com uma mão pilota um suposto manche e transforma o outro braço na asa da aeronave. Ela acha que é o verdadeiro piloto de um avião real. Mas, ao mesmo tempo, não acredita em nada disso, e graças a essa descrença é que não tenta sair voando pela janela. Tem de acreditar o bastante para poder brincar, mas não deve acreditar por completo. Assim, a cadeira é e não é um avião!

Quando falo de brinquedos e brincadeiras de outras épocas, não o faço por ser saudosista, para quem o passado é sempre melhor. Não estou propondo a troca dos computadores por bolinhas de gude (que, aliás, precisam de um pedaço de terra inexistente em nossas cidades de concreto). Por outro lado, as crianças, pelos perigos conhecidos, não brincam mais na rua e os soldadinhos de chumbo hoje são objetos de antiquário (e o chumbo é tóxico). Para as antigas partidas de futebol de rua, disputadas com bolas de meia, precisaríamos de ruas sem trânsito e de mais respeito por parte dos motoristas.

Repito: estou ciente de que vivo e escrevo este livro no século XXI, e este é meu tempo. Não é nenhuma novidade que toda época tem virtudes e defeitos e por isso devemos olhar para o presente pensando no futuro, mas sem esquecer o referencial do passado.

O que estou propondo é que os pais ajudem as crianças a fazer uma divisão saudável e racional entre o uso das telas e o uso do corpo, privilegiando a imaginação e o contato com seus semelhantes, sempre muito enriquecedor.

As críticas hoje dirigidas ao uso abusivo dos brinquedos eletrônicos na metade do século XX eram feitas ao tipo de brinquedo e aos materiais usados em sua fabricação. No século passado, Barthes escreveu artigos criticando os brinquedos da época, que propunham pouco dinamismo e, de outra parte, induziam as crianças a brincar imitando profissões conhecidas dos adultos, como soldado, médico, bombeiro etc. – ou representavam personagens de outras galáxias e monstros, todos de extrema feiura e amedrontadores. Barthes advertia que a criança era a proprietária do brinquedo, mas não sua criadora. Na mesma época, Bruno Bettelheim criticou os brinquedos de montar que vinham com instruções de como fazê-lo. Segundo ele, isso prejudicava a criatividade e a inventividade dos pequenos.

O fato é que, quando os brinquedos deixaram de ser movimentados pelas mãos das crianças, isso foi muito criticado. Logo apareceu um barbante para puxar, a corda com sua chavinha, molas e, por último, o controle remoto.

Não pretendo discutir se as críticas são justas. Crítica é crítica, atemporal e universal. Tentei fazer uma viagem pelo mundo dos brinquedos, dos antigos aos mais recentes e sofisticados (bonecas que mamam e fazem xixi), passando pelos educativos (?) – lembrando que a criança se educa quando brinca com qualquer coisa usando a imaginação (lembram o poema de Manoel de Barros?).

O fato é que tudo que foi descrito até aqui parece estar ficando obsoleto: 80% dos catálogos nas lojas estão preenchidos por brinquedos eletrônicos. A cultura do mundo lúdico infantil mudou radicalmente. Gostemos ou não, essa mudança veio para ficar. O que resta é controlar, dosificar seu uso e defender as crianças dos exageros e aberrações de certos brinquedos usados pelo grupo de nativos digitais. Quando falo de aberração estou tentando ser elegante. Trata-se de algo muito pior, como confirma o depoimento de um pré-adolescente sobre seu brinquedo digital preferido: "Cara, é massa, a gente mata um monte de gente babaca, que não presta. Dá pra colocar uma granada na boca deles e arrebentá-los, espalhando sangue e vísceras na tela – é o máximo! Você nem imagina, podemos queimar os personagens com lança-chamas enquanto ainda estão vivos. Quanto mais você mata, mais pontos ganha".

Algo está podre no reino da Dinamarca – a frase é antiga, mas ainda se mostra válida neste mundo tão fora da curva. O paradoxal é que esse brinquedo fascinante para o adolescente da história ficou rapidamente obsoleto e foi trocado por outro, bem mais abominável.

Octavio Paz também tem algo a dizer sobre isso:

> Creio que estamos condenados a ser modernos. Não podemos, nem devemos, prescindir da tecnologia moderna. É impossível e impensável toda volta para trás como solução do impasse da sociedade industrial de última geração. O problema consiste em organizar as tecnologias visando às necessidades humanas e não o contrário, como está acontecendo!

Claro que a imagem seduz e fascina. Passa a ser tudo. Mas questiono as fronteiras das telas na vida infantil, naquilo que tem que ver com o limite entre o real e o simulado, entre o palpável e a ilusão dos brinquedos. É difícil demarcar essa fronteira.

Os brinquedos digitais não se fundamentam em objetos externos e leais, e sim nos códigos que a máquina produz. O brinquedo é o sujeito da brincadeira e a criança, seu objeto passivo. As crianças acre-

─(*Educar filhos*)─

ditam ser livres ao brincar com eles, podendo fazer o que desejam, quando na realidade toda a sequência lúdica está predeterminada por técnicas matemáticas, do princípio ao fim.

O excesso de tecnologia altera o pensar criativo. As crianças não brincam porque pensam; ao contrário, pensam porque brincam.

O mais revoltante é que o encolhimento do imaginário gera violência nos pequenos. O excesso de sons, cores e movimentos, além da tensão que deriva do desejo de ganhar, gera em algumas crianças problemas como insônia ou sonolência, abulia, fadiga, estresse etc. É por isso que os pais devem gerenciar o tempo dessas brincadeiras.

Se a sociedade é o local de educação e humanização das crianças, devemos sempre enfatizar o "infantil da infância" e os riscos que assumimos ao não agir diante desses impasses. A criança precisa ter tempo para brincar, para fazer esportes, para ler e para desfrutar do ócio necessário.

Como o leitor já percebeu, toda teoria tem um caso real que a ratifica (no caso deste livro, com humor).

Roberto, simpático e inteligente menino de quase 7 anos, era muito antenado e ligadíssimo ao mundo digital. A família, católica praticante, o levava à missa dominical. Roberto ficava olhando fixamente para o altar, ouvindo o sermão do pároco com um tédio respeitoso. A mãe intuía que ele estava desatentamente atento e que não saberia dizer do que tratava a missa. "Você entendeu o sermão?", perguntava ela. Isso se repetia todo domingo e Roberto, entediado, afirmava que tinha entendido.

Certo dia, a mãe voltou a insistir: "Fala a verdade, filho, você está entendendo?" Roberto, no limite de explodir, rispidamente respondeu: "Mãe, não enche, já te falei que entendo tudo. Quer ver? Quando o padre fala 'Amém' é como quando eu aperto a tecla *enter* no computador!" Genial pensamento condensador do mundo real e do digital.

A discussão entre o brincar criativo e os joguinhos eletrônicos encontra um esclarecimento na inesquecível Arminda Aberastury. Ela escreveu uma biografia lúdica da criança antes do advento do mundo digital, mostrando a relação criança-brincar como algo que perpassa todas as épocas e todos os modismos.

Antes de nascer: no útero, a criança brinca com seu corpo, usa os dedos e a boca como brinquedos e chupa o polegar, clássica imagem vista na ultrassonografia. Outro estímulo são as palavras e as cantigas da mãe, às quais o bebê reage com movimentos, os famosos chutes.

No nascimento: acontece o "jogo do encontro", olho no olho, pele com pele entre o bebê e a mãe, que o recebe com palavras de boas-vindas e aconchego. Quando a alquimia funciona, a criança se sente segura e cuidada, e assim se adapta melhor ao mundo novo e consegue esquecer o paraíso perdido.

Até os 3 meses: trata-se do período simbiótico (do "grude"). O jogo está centrado nos contatos corporais e verbais entre mãe e filho (brincadeira preferida). Nas "conversas" entre eles, a mãe, ao responder, dá sentido à comunicação aparentemente sem sentido do bebê.

Dos 3 aos 6 meses: o bebê começa a entender que não está "grudado" na mãe, nem é uma parte do seu corpo. Uma fresta entre eles aparece. A função paterna é importante para acabar com a intensa simbiose e permitir uma gradativa separação da dupla. Aparece o importante reflexo neurológico "olho-mão-boca", que em primeira instância serve para o reconhecimento do seu esquema corporal: o bebê leva as mãos à frente dos olhos, logo toca uma mão na outra e por último as coloca na boca. Pronto! Com cerca de 6 meses, a criança se senta e seu campo lúdico-visual aumenta. Instiga as pessoas ao seu redor, chamando-as com gritos, gargalhadas e tosse fingida (chamo-a de tosse social). Aparece o "chocalho" (bom velhinho), precursor milenar dos instrumentos musicais. A criança gosta de fazer aparecer seus sons e de silenciá-los.

Dos 6 aos 12 meses: segundo Aberastury (e ela entendia do assunto), tirar objetos de um buraco ou tentar enfiá-los nele, enfiar o dedo ou um brinquedo no ralo, encaixar um brinquedo dentro de outro, explorar a orelha e as narinas com os dedinhos: tudo isso teria relação com o esboço inicial da sexualidade infantil. Quando nu, o bebê explora partes desconhecidas de seu corpo e descobre os genitais, que constituem fonte de conhecimento, diversão e prazer, o que é absolutamente normal.

Engatinhando, amplia o território lúdico e se interessa por locais desconhecidos da casa, tendo uma "atração fatal" por gavetas. Adora brincar jogando diversos objetos no chão: espera avidamente sua devolução para reiniciar a brincadeira – que pode ser *ad infinitum* se os pais não mudarem o centro de interesse. Com essa brincadeira, a criança testa as noções de perda e recuperação.

Perto de completar 1 ano, gosta de bater em um tambor (ou panela) com uma baqueta (ou colher). É interessante lembrar que o tambor, nos tempos passados, era utilizado em três instâncias: nos rituais de fertilidade, como instrumento de comunicação e como elemento simbólico nas guerras. A criança, na sua brincadeira com o tambor, replica essas três modalidades: simboliza o útero materno, o usa como aparelho de comunicação e descarrega seus impulsos agressivos (como na guerra).

Os jogos de esconder/aparecer também fazem sucesso nessa idade.

Dos 12 aos 24 meses: bexigas, bolas e bolhas de sabão formam parte do repertório lúdico. Teoricamente, isso estaria relacionado, por sua forma oca, com os pensamentos infantis sobre o útero materno e sua função reprodutiva. Também bichos de pelúcia ou bonecas são nomeados e cuidados como filhos. No meu consultório, aparece frequentemente uma "filha boneca" para ser atendida por mim. É como um "ensaio" da maternidade futura. Essas brincadeiras e os cuidados que a mãe dispensa à filha serão "rememorados" muitos anos depois (quando a criança crescer e tiver os próprios filhos). Nessa fase, os pequenos também gostam de "cozinhar" e "preparar chá", que são servidos "às visitas" em utensílios apropriados – a recusa em aceitar as "iguarias" poderá desapontar a criança. Sujar-se com terra, água e massinha é uma atividade fascinante e facilita o desfralde. Primeiro, porque a criança deixa de ter nojo da sujeira; segundo, porque fica pronta para "dar de presente" os preciosos conteúdos de seu corpo.

Dos 24 aos 36 meses: a criança faz uma descoberta fascinante. Ela percebe que por meio de seus desenhos e pinturas é capaz de reter e recriar, quando necessário, as imagens que são importantes para ela. Com essa atividade lúdica, consegue mitigar a angústia provocada pelo desaparecimento das imagens mentais, que agora ficam perpetuadas nos desenhos. Adoram desenhar as mãos, contornando-as com lápis em uma folha de papel. Mas qualquer rabisco ou garatuja vem junto com uma explicação pormenorizada do significado "real" da obra.

Após os 3 anos: tanto meninas quanto meninos continuam brincando com seus brinquedos habituais – bonecas, carrinhos, bolas, super-heróis, répteis, animais pré-históricos, personagens "do mal" etc. Podemos acrescentar hoje os jogos eletrônicos. Mas começam a se sentir atraídas por brincadeiras que sublimam as experiências genitais e sexuais, que estão interditadas para elas. Assim, pensam nessas experiências, fantasiam-nas e representam-nas em suas brincadeiras. Quando brincam de médico e paciente e tiram a roupa, conhecem as diferenças anatômicas entre homem e mulher. As meninas ficam "grávidas colocando uma bexiga dentro da roupa e dão de mamar aos bonecos filhinhos. Tudo serve para reproduzir na brincadeira a vida amorosa, sexual e reprodutiva dos adultos. Aparece a masturbação, encoberta em alguma brincadeira, como galopar sem parar em um cavalo imaginário – que pode ser um urso de pelúcia, uma almofada etc. Tudo isso é normal e esperado. O faz de conta acontece porque nessa idade as crianças estão sob a égide do complexo edípico.

Gostam de ter uma gaveta para guardar seus tesouros e adoram fazer de conta que "leem livros" e contam as histórias baseadas nas ilustrações.

Há uma fantasia lúdica que às vezes preocupa os pais: refiro-me ao "amigo imaginário", tão real para a criança que esta conversa com ele, dá broncas e brinca, tudo muito seriamente. Pode ainda exigir que se coloque mais um prato e talheres na mesa para o amigo.

Acredito piamente que essas brincadeiras atemporais e universais não vão desaparecer (talvez seja meu enorme desejo), porque não são um passatempo. Brincando se entendem as vicissitudes vitais, se compreendem os mal-entendidos e se elaboram os conflitos... Além de ser muito divertido!

Narrativas e histórias familiares

As histórias familiares têm dupla finalidade: ajudam a construir a subjetividade da criança e constituem os alicerces da sua educação. Podemos afirmar que a narrativa transcende a genética e os neurônios. História e narrativa são fundamentais para o bom desenvolvimento infantil.

Existe uma inteligente e aguda observação de Sartre sobre o tema: "É verdade que minha história foge de mim, mas isso não significa que eu não seja seu autor, ela foge porque outros também fizeram minha história".

Contar histórias e conversar com as crianças pequenas é algo de muita importância, porque essas atividades dão sentido àquilo que para o bebê não teria sentido nenhum. Também aparece para ele a linguagem materna, e assim se aprendem os códigos familiares, as significações e as maneiras de se defender da angústia.

Todos os pais, até aqueles que são menos verborrágicos, podem conversar com as crianças. Com seus silêncios e seus gestos, igualmente contam algo aos filhos, ainda que de maneira peculiar.

O silêncio doloroso, que esconde aquilo que não se pode dizer, e os segredos provocam grande dano à criança.

A palavra que transmite uma verdade deve ser emitida pela pessoa inscrita no campo simbólico da criança. Esta tem o direito à verdade. Tem o direito de saber sobre sua origem sexuada, se é adotada, se há problemas na família (doença, morte, desemprego, separação dos pais). Tudo contado de maneira acessível, sem termos complicados, mas sem infantilização – toda a sua história anterior ao nascimento, colcha de retalhos de antigos acontecimentos, serve para a construção da subjetividade.

Os avós são autores e protagonistas de muitas histórias. Na realidade, são os "donos" da história familiar. Na sua casa são guardadas fotos amareladas e documentos amassados que permitem nomear as pessoas do passado e do presente. Nessas horas, passado e futuro se fundem no presente, o que é fundamental para fundar uma nova família.

Para que um bebê vire sujeito, é necessária a relação com as figuras materna e paterna, e isso inclui basicamente: dar-lhe um nome (nomeá-lo); sua história pregressa deve ser narrada. Uma premissa básica para isso é os pais contarem histórias e também terem ouvido histórias da boca de seus pais. Outra é lembrar-se da criança que foram e ainda carregam.

Somos o que somos, mas também o que narram de nós. Narrativa e parentalidade se confundem num entrelaçamento mútuo.

Na questão da narrativa e do espaço da fala, a criança não é só ouvinte de narrativas e histórias: ela tem de ser ouvida e respeitada como contadora das próprias histórias, sejam estas importantes ou não na visão do adulto. Para a criança, tudo que ela conta e pergunta é muito importante. Por isso, deve ser ouvida com atenção e respondida nas suas questões com respeito.

Certa madrugada, recebi a ligação de uma mãe angustiada porque seu filho de 8 anos acordara com falta de ar e dificuldade respiratória, dizendo a ela que tinha medo de morrer. A mãe, muito superprotetora do filho desde sua separação, cinco anos antes, era psicanalista, o que talvez tenha motivado sua descrição interpretativa do acontecido. Segundo ela, o filho havia tido um amedrontador pesadelo ligado à morte, o qual fora responsável pelo quadro de bronquite. Não era o momento de discutir a história do ovo ou da galinha. Dei as instruções adequadas e pedi-lhe que levasse o menino ao meu consultório no dia seguinte.

A mãe, além de fazer interpretações da doença do filho, era também detalhista ao extremo, colocando na história pontos verdadeiramente insignificantes. Na consulta, como era de praxe, apropriou-se do tempo e do espaço com longas e enfadonhas explicações. Enquanto ela falava e o menino e eu ouvíamos, percebi várias tentativas dele de intervir e dizer algo. A mãe, como um trator, passava por cima disso e de todos! Achei necessário fazer um corte e dar ao menino a chance de falar. Nunca vou esquecer o sorriso agradecido dele, nem minha tristeza diante do que ouvi: "Obrigado, Leonardo. Sabe, é sempre assim. Ela fala, fala, fala, e não me ouve. Nunca consigo falar! Eu estava tentando dizer que, ao contrário do que ela disse, eu tive uma das piores bronquites da minha vida! O ar não entrava, aí eu pensei mesmo que fosse morrer".

Uma criança oprimida dessa maneira, que não é dona de sua história (que a mãe conta por ela), que não consegue se manifestar com sua palavra só pode explodir em algum lugar... O lugar dele era o pulmão!

Depois do terremoto, vou usar Gabriel García Márquez para fechar o capítulo: "A história que contamos nem sempre é a história que vivemos, depende do que lembramos dela e das nossas emoções quando a contamos".

Freud narrou uma conversa entre uma menina e sua mãe sobre o medo da escuridão que mostra a sutileza do pensamento infantil e a necessidade que a criança tem da palavra do adulto:

— Mãe, diz alguma coisa, estou com medo do escuro.
— De que adianta, se você não consegue me ver?
— Não faz mal, quando você fala tudo fica claro.

5. Aspectos contrários e em oposição com a educação dos filhos

※

> Conheço homens que não puderam fazer quando deviam porque não quiseram quando podiam.
> Rabelais

Infância, mercado, consumo e subjetividade

O marco sociopolítico, cultural e econômico no qual se insere um indivíduo também determina sua subjetividade. Tal marco provoca um forte impacto na forma de contradição, na medida em que propõe e facilita o gozo, cuja meta é um prazer ilimitado e doloroso.

Um aspecto por demais importante na nossa sociedade consumista não é o sujeito que constrói e valoriza o símbolo (um par de tênis de marca, um celular de última geração etc.). Ao contrário, é o símbolo que determina a subjetividade e o lugar do sujeito no mundo. Falamos do horroroso paradigma de "ter para ser".

Outro aspecto desta sociedade líquida (conceito de Bauman) é o aparecimento da marginalização das crianças. Não estou falando de criminalidade nem de carência econômica, mas da solidão sofrida pelos pequenos. Neste terceiro milênio, consumo e solidão nos confrontam com as profundas mudanças que acabam se refletindo na infância.

Estou certo de que não podemos continuar sendo testemunhas e cúmplices do silêncio. Assim, segundo o psicanalista argentino Jorge Volnovich, devemos adotar uma atitude integradora, deixando de lado a simplificação. É preciso parar de procurar com parcialidade um culpado que explique tudo (a famosa figura do bode expiatório) para que tudo continue igual.

Não existe uma explicação unívoca que elucide os dilemas do ser humano: tudo é multicausal. Também não se pode continuar fazendo relações fechadas e circulares entre causa e efeito.

Para começar, devemos acabar com os hiatos: entre a mente e o corpo da criança, entre a criança e os pais e entre a família e a sociedade. Evitando esses curtos-circuitos, será permitido analisar todos os aspectos envolvidos com uma perspectiva integral e integradora. Com isso, a criança conseguirá deixar de ser só um corpo e um indivíduo isolado. Lembremo-nos de Winnicott, quando diz: "Essa tal de criança sozinha não existe, ela é parte de uma relação". Deixemos também de "disparar contra os pais" de maneira estereotipada, com a "bala" da culpabilização, como acontecia nos filmes policiais: ante um assassinato, o primeiro suspeito era o mordomo.

A consequência nefasta de tudo isto foi o afastamento dos pais das tarefas educativas, que caíram no colo da ciência. Para não traumatizar os filhos, os pais deixaram de sociabilizá-los e de educá-los no caminho da cidadania.

É preciso dirigir um olhar crítico à sociedade. Esta, por muitas das suas exigências árduas e contraditórias para com as famílias, acaba provocando ansiedade e mal-estar tanto nos pais quanto nas crianças.

Como vimos no início deste livro, uma pequena parcela de profissionais continua, com parcialidade e superficialidade, colocando toda a culpa dos problemas na criança, eximindo preconceituosamente a sociedade e os pais.

O paradoxal, acredito, é que na realidade mais globalizante todos são um pouco culpados e um pouco vítimas. Vejamos: na modernidade, as crianças tudo podem e os pais deixam-nas fazer o que querem. Nessa amálgama de culpa – formada pela culpa eterna dos pais (que movimenta o consumo), pela angústia de abandono, pela falta de contato e de diálogo, pela terceirização dos filhos –, acaba-se onerando gravemente a construção do sujeito.

Diante desse imbróglio, espertamente as crianças se aproveitam da situação e tentam realizar, custe o que custar, seus desejos, que vêm recheados de onipotência e hedonismo, os quais não foram resolvidos na hora certa.

Por seu lado, o poderoso mercado ajuda sorrateiramente a diminuir a culpa dos pais, com ofertas de presentes caros e maravilhosos. Assim, o dito mercado planeja seus lucros com um tipo de propaganda que parece se dirigir individualmente a cada eventual comprador. Sem perda de tempo e com promessas às vezes falsas, oferecem seus produtos destinados a ser devorados com rapidez e logo descartados com a mesma celeridade. Tudo é esquecido para dar lugar a outro produto. É um moto perpétuo que não para de girar.

Podemos incluir, com tristeza, o fato de as crianças estarem sendo adestradas para o consumo. São facilmente induzidas e seduzidas por produtos tentadores que invadem os lares em horários em que não há adultos para frear essa ação. E quando, à noite, os pais voltam de suas tarefas laborais, encontram uma criança teimosa, dizendo a famosa e repetida frase "Pai, compra! Eu quero! Quero agora!"

O pior de tudo é que amanhã, na próxima semana ou no próximo mês surgirá outro apelo publicitário de outra oferta tentadora, que dará novo nó na cabecinha infantil. Resumo da ópera: apesar disso, ou talvez por isso, os pais deveriam abandonar a lei da compensação, de agradar aos filhos com caros presentes para compensar sua ausência e pouca disponibilidade. Mas, ao mesmo tempo, os adultos deveriam autocontrolar seu consumismo desenfreado. Não se pode esquecer que o exemplo é um método excelente de educar.

Se nada for feito, a criança vai aderir de maneira alienada e alienante ao ideal adulto de consumo, que por sua vez é encorajado pela cultura do mercado.

Os dardos disparados são milhares e constantes. Por isso, para cada "não" dos pais surgem cem "sins" induzidos pela mídia. Todos os discursos da chamada *mass media* estão contaminados por falsas verdades, o que também muda negativamente a relação subjetivante.

A mudança, apesar de ser muito difícil e cheia de contradições e incertezas, é de suma importância. Talvez tal mudança beire a utopia, mas não podemos perder as esperanças nem abandonar a luta. Se fizermos isso, as chances de conseguir nos libertar serão mínimas ou desaparecerão.

A sabotagem da família à construção de uma cidadania possível

Quando se educa, o que prioritariamente se transmite são princípios, e estes dependem da cultura. Os comportamentos erráticos ou aberrantes de algumas crianças demonstram que por vezes essa transmissão pode ser falha e fracassar.

Falhar, em qualquer aspecto da vida, é algo ponderável e possível de acontecer, mas renunciar a educar é impossível. Educar nossos filhos é da ordem do imprescindível. Em algumas culturas, persiste-se na transmissão do real e da lógica.

Fundamentalmente, as mães são descritas como "donas" de instinto. Acontece que educar não é algo instintivo. O que se deve transmitir com ênfase é o simbólico, e não o real.

A educação se faz apesar dos desejos dos pais. Eles estão "pisando em ovos", cheios de ambivalências. Sabem que, ao educar seus filhos sem se basear no próprio desejo, acabam transmitindo a eles a demanda social, a qual pode estar fadada ao fracasso. Mas, por outro lado, compreendem que satisfazer absolutamente todos os desejos dos filhos os colocaria num confronto com a demanda da sociedade.

Nessas horas, a mãe apela para o pai, que sempre foi o detentor do estandarte de autoridade, para que seja o árbitro dessa dicotomia contraditória. Acontece que esse pai renunciou já há algum tempo ao seu cargo de autoridade, tendo sido substituído pelo saber da ciência, da pedagogia, da psicologia, da pediatria etc.

Introduzida assim essa questão importante, podemos fazer a seguinte pergunta: "O que pretendemos transmitir aos filhos com a educação?" Os leitores e eu, ao lado de um número enorme de pessoas, concordaríamos que, minimamente, queremos transmitir-lhes as condições básicas para sua sociabilização, ou seja, a transmissão de uma cidadania possível.

Todo esse processo não se impõe nem se oficializa em cartório. Trata-se de um processo longo, o qual não temos certeza se vai dar certo. Parte das famílias educa seus filhos com privilégios demais (privilégio não é igual a direito), tornando-os egoístas. Essas crianças aprendem com os pais que devem sempre levar vantagem sobre os outros – é a catastrófica antissociabilização e anticidadania.

Concluímos, com as ferramentas já discutidas, que educação e castração (frustração) são os dois elementos entrelaçados que definem os processos pelos quais se tenta que o filho obtenha um lugar na sociedade.

Na sociedade moderna, não existe um ato simbólico ou ritual para introduzir as crianças no estatuto de cidadão. Foi a educação com seus interditos que acabou preenchendo essa tarefa. A socialização acontece no terreno do simbólico, assumindo condutas em forma de movimento pendular que vão de gratificações e promessas até o cumprimento de deveres e a aceitação da frustração com respeito a seus desejos. A falta arquiteta o desejo, inclusive o de crescer.

Uma "boa" educação implica deveres e direitos para com as instâncias simbólicas de autoridade, que impõem limites e constroem fronteiras. O dever e a capacidade de lidar com a frustração se sustentam na promessa de vir a ser adulto e pai ou mãe.

Na desequilibrada sociedade líquido-moderna, a promessa ofusca o dever, ou seja, o valor do dever é corrompido pelo valor do gozo prometido.

Entre os jovens, a situação também é caótica. Com essa faixa etária acontece um fenômeno bastante difundido: o trabalho fica excluído da vida. A possibilidade de ter de trabalhar passa por ameaças e paradoxos. O pai promete: "Estude agora para ficar rico e não ter de trabalhar". O pai ameaça: "Se você não estudar e repetir de ano, vou te colocar pra trabalhar".

Na primeira frase, a promessa anula o dever, que contrariamente deveria justificar. Na segunda frase, surge a contradição, já que se explicita que o que interessa é que o jovem passe de ano, e não que estude para aprender. O filho pode "colar" na prova de um colega e fazer qualquer ilicitude; contanto que passe de ano, não interessa. Aí não vai precisar trabalhar!

Na família, existem duas premissas em oposição: a promessa do prazer ilimitado e a lei simbólica, que deveria ser sustentada pela imaginária potência do pai (cada vez menor). Isso não dá identidade ao filho nem tem utilidade – só o atrapalha pela contradição que provoca. Os pais que decidam: ou continuam a repetir para não ter de pensar ou pensam para não repetir.

A contradição e a ambiguidade no discurso dos pais constituem a deletéria mensagem dupla, que causa muita confusão nas crianças. É o caso de Maria, de 3 anos: em período da adaptação na escolinha, não saía do colo da mãe nem aceitava os apelos afetuosos da professora para entrar na sala e conhecer os novos amigos. A mãe enfaticamente a estimulava a ir, mas ao mesmo tempo a segurava com um forte abraço. Depois de vários dias e muitas tentativas, ela acabou aceitando a ideia, saiu com algum esforço da "prisão corporal" da mãe e deu a mão à professora, explorando a sala. Sorrindo, Maria lhe disse: "Minha mãe é engraçada! Ela quer que eu fique com ela e também que eu entre na sala!" A mensagem dupla entre a atitude e a palavra sabota a autonomia e a independência da criança.

Como é de praxe, o poeta, com poucas e belíssimas palavras, descreve essa situação com muita sensibilidade, como na poesia de Fernando Pessoa:

Quem quer dizer o que sente
Não sabe o que há de dizer.
Fala: parece que mente
Cala: parece esquecer.[10]

(Educar filhos)

Para finalizar, cito Bruno Bettelheim: "Podemos ver claramente nosso filho e seus problemas se deixarmos de olhar para ele através das lentes deformantes do nosso egocentrismo, da nossa implicação emocional e da nossa ansiedade pelo seu futuro".

6. O coração do livro: amor e respeito embutidos no "não"

❦

> *A palavra que interdita ou limita é uma norma que não cai do céu, é construída por um sujeito para outro sujeito. É uma palavra de autoridade ("aquele que faz brotar"), é um interdito ("dizer entre"), é um "não" que possa ser fonte de uma vida autônoma e ao mesmo tempo comum.*
>
> Laurent Bove, "Como dizer 'não' à criança"

Enquadre teórico de "como dizer 'não' a uma criança"

A *epígrafe deste* capítulo foi proferida em 2006 pelo filósofo e linguista Laurent Bove em um seminário na França cujo título era "Histórias de família: a propósito da autoridade e do interdito". Bove começou sua intervenção com uma pergunta aparentemente banal: "Como dizer 'não' à criança?"

A questão do interdito está ligada, ao mesmo tempo, ao conceito de autoridade, à palavra e à prática educativa. Deve-se ter clareza de como agir com a palavra de negação, já que se trata de dizer "não". Etimologicamente, "dizer" vem de *dicere*: mostrar pela palavra. O termo *dictio* significa "modo de dizer". Para a criança, o que resulta inaceitável não é o que lhe é dito, e sim a maneira como se lhe diz.

A palavra de recusa tem uma dimensão ativa, que se situa no princípio de causalidade, sendo assim eficiente e prática. Na relação pai--filho, as palavras não se opõem ao ato: a palavra em si mesma é um ato. Consequentemente, é falso o dito popular de que a ação é o que fica porque "as palavras o vento leva". Se assim fosse, o "não" se evaporaria na atmosfera e viraria sempre "sim", a partir do ato opositor infantil.

É condição básica que o "não" dito pelos pais não se evapore nem se esgote; ao contrário, deve permanecer operatório. O que deve se esgotar é a atitude opositora da criança, em consequência da segurança e da firmeza dos pais.

Historicamente, no século XX, surgiu a tendência, nada adequada, de ofuscar as oposições. Mas a oposição na escolha fica desvirtuada quando se trata da educação dos filhos, uma vez que temos duas opções de modelos – pai e mãe – e ambas precisam decidir qual é o melhor caminho a seguir. O que explica o ambíguo e contraditório presentes no ato de educar. Muita retórica e pouco significado, lógica demais sem informação ou muita informação sem lógica.

Ambivalência é a palavra-chave para caracterizar a essência das diferenças não opositoras que prevalecem na dupla pais/filhos. Adultos e crianças (todo mundo) têm necessidade da oposição, que anda cambaleante na esfera dos pais.

Muito tempo atrás, Freud disse: "Na verdade, todo o progresso da sociedade repousa na oposição entre gerações sucessivas". Acrescento: os adultos transmitem a lei e a cultura e criam conflitos com os mais novos. E daí? Devemos continuar!

Tudo o que foi dito até agora nos mergulha de imediato numa situação relacional afetiva, com desejos e sentimentos em confronto intenso.

A relação educativa deveria ser assimétrica, com manutenção das hierarquias, com um menor viés de igualdade "fraterna" (na família não são todos irmãos; alguém precisa ser adulto). O resumo da ópera é que na família deve existir certa "dominação". O lema da revolução francesa – "liberdade, igualdade e fraternidade" – não é um bom caminho para as atitudes educativas dos pais.

Mudando o enfoque, podemos afirmar que a palavra "não" é simplesmente o contrário do silêncio. Quando um pai, por um malfeito importante do filho diante dos limites instituídos, não lhe dirige a palavra, é um potente aviso de mal-estar. Esse tipo de abordagem funciona porque gera na criança o medo atávico de perder o amor dos pais.

Voltando ao interdito, é fundamental saber que ele não é um "dizer contra" (contradizer), mas muito mais um "dizer entre" (interdizer), em um espaço que se abre entre dois muros, espaço de liberdade, aberto pelo conhecimento dos próprios desejos. Força transformadora que altera a relação do sujeito com seu desejo, no sentido da ação da liberdade.

Em outras palavras, o ego, com seus desejos, deve se submeter ao imperativo do superego (com seus interditos internos). E a criança, constrangida, obedece aos pais, os quais municiaram o superego com suas atitudes.

Os pais não podem proibir os filhos de pensar e de ter desejos, mas podem interditar e frustrar aqueles impossíveis de ser satisfeitos. A morbidez aparece quando a coerção dos pais não deixa espaço para a criança no seu legítimo desejo de singularidade e autonomia. A troca produtora de subjetividade se dá quando existe um tácito "sim" que autoriza o filho a ter desejos e um "não" que nega a satisfação de alguns deles.

Para a sofrida pergunta "Como dizer não?" deve-se procurar a resposta na lógica do desejo, no vir a ser do sujeito e no conhecimento da função dos limites. Desse modo, a relação de obediência não deve ser um fim, mas apenas um meio provisório na constituição da autonomia. A criança não sabe, no começo, o que é bom ou ruim para ela e para os outros. Se soubesse, o que seria um milagre, não teríamos necessidade da lei, da família ou da sociedade.

Mas existe outra pungente pergunta: "De que maneira se pode levar adiante um 'não' constitutivo de humanidade?" Isso parecia algo natural nos pais até o fim da metade do século XX. Hoje, fundamentalmente no Ocidente, virou uma tarefa inquietante, quase paralisante. Na época do meu pai educador, a autoridade era atribuída às funções instituídas para a manutenção de um mundo "comum" nos valores e significações, com crenças compartilhadas, e que concedia autoridade e poder na palavra a certas funções simbólicas: pais, professores, religiosos etc.

Hoje temos muitos mundos em um único planeta, com mudanças rápidas, sem solidez, com a perda ou a substituição de valores. Tudo está fora de lugar, até a autoridade paterna. Estamos sem referências!

A solução não poderá ser implantada se não assumirmos prioritariamente a realidade do vazio e, em seguida, a exigência de sentido e do valor de recuperar, pelo menos em parte, uma vida humana comum. Pode parecer utópico, mas talvez seja uma utopia pela qual vale lutar.

Teoricamente, existem duas concepções de limite no que diz respeito à maneira de se dizer "não". A primeira fala do limite colocado como lei. De natureza jurídica ou moral, como uma norma, serve de dique para os desejos primitivos e anárquicos. A segunda toma o limite como algo que "não cai do céu" (religião), não surge dos códigos (lei) e tampouco é uma lista de preceitos moralizantes. Constrói-se estrategicamente por um sujeito para outro sujeito, sendo mediado pela cultura.

O sentido verdadeiro do conceito de autoridade é etimológico: *auctoritas* (de *auctor*) é aquele que faz brotar, que oferece os meios para crescer, incluindo a aprendizagem do que se pode e não se pode fazer em determinada família. Claro está que o objetivo da autoridade não é a submissão nem a obediência cega. Assim, cairíamos no autoritarismo.

É por meio do "não" que se constituem um dever e uma dívida com os filhos, que lhes mostramos o caminho da cidadania.

Os pais, tendo cumprido os deveres da vida para com seus filhos, devem começar a usufruir a própria independência e deixar seus rebentos viverem de maneira independente. Só assim, a educação pode ser considerada exitosa – tanto para os filhos quanto para os pais.

O "não" no cotidiano da prática educativa

A sociedade mantém a ideia errônea e perigosa de que o indivíduo legal, prestativo e empático deve dizer "sim" o tempo todo. Parece mais que óbvio que em muitas circunstâncias sociais e familiares, sobretudo na educação dos pequenos neófitos, é imprescindível usar o "não". A ideia de que o "sim" tem aroma de justiça e o "não", de injustiça é uma falácia. Tanto um quanto o outro, dependendo de sua utilização, podem ser justos ou injustos.

É injusto dar à criança tudo que ela pede, nunca dizer não e ficar sem dormir porque ela monopoliza a noite. Já os pais opressores, rígidos, que dizem "não" para tudo – "não corra", "não faça barulho", "não se suje" –, parecem estar dizendo "não viva".

Deixando os extremismos de lado, os pais têm de estar prontos para limitar, proibir e frustrar sem culpa. Eles não estão traumatizando ou rejeitando os filhos. Só os estão educando. Lembrem-se: crescer traz dor.

Parece que hoje a liberdade é igual à libertinagem, direitos viraram privilégios e autoridade se confunde com autoritarismo. Esquecemos que a horda primitiva sucumbiu à civilização!

A educação começa com os bebês. Pouco depois dos primeiros três meses começa a tarefa educativa: deve-se dar um espaço entre a demanda e a satisfação. A mãe tem de falar com o bebê do lugar em que está para ensinar que, quando fala, ela está presente (não fisicamente, mas com a palavra). O bebê pode chorar um pouco. Aos poucos, mãe e filho o suportarão.

Tanto na alimentação quanto no sono, continua a educação pelo exemplo. Respeitar o "não" do filho, quando não quer comer, não oferecer o peito como calmante quando o choro não é de fome. Nas crianças maiores se deve respeitar o não querer comer. É um direito, mas ele vem junto com um dever: aguardar a próxima refeição, sem pedir "lanchinhos".

No sono – que é um momento de desprazer, posto que a criança abandona o mundo da vigília com suas cores, sons, luzes e brincadeiras –, a educação deve se fazer presente com o "não" da palavra e da atitude. É claro que o bebê prefere o colo da mãe para dormir. No começo é assim mesmo, mas depois ele precisa ser educado e se acostumar ao berço e, fundamentalmente, ao fato de que está sozinho. Decididamente não é o colo da mãe, mas esse será o lugar onde passará a dormir. Quando ele se revolta e chora, os pais podem chegar perto, acalmá-lo, mas não pegá-lo no colo e sair andando pela casa. Isso reforça o sentimento da criança de que seu quarto e seu berço não são locais seguros – ao contrário do colo. A separação do grude inicial vai se fazendo progressivamente. Ela se torna imprescindível e a criança sobreviverá à experiência. Depois, com a chegada da autonomia, ficará agradecida por estar mais segura com seu ego fortalecido, ter o senso de si própria e encontrar os próprios mecanismos para se acalmar.

Se esses aspectos não são bem cuidados, um bebê simpático e encantador passa a ser um estorvo, que prejudica toda a família. Ninguém dorme, ninguém descansa, o encanto vira tormento.

O dizer "não" a esse desejo passa por mostrar à criança que, quando está com sono, o berço é um ótimo lugar para dormir. Nas crianças maiores, há outro aspecto importante: quando se coloca um limite que interdita e elas insistem em questioná-lo, não use longas explicações ou debates "pseudojurídicos", muito menos transforme a situação numa conversa de igual para igual em um grupo que tem hierarquias e assimetrias. Os adultos sabem e as crianças são aprendizes nesses assuntos. Os pais não podem perder nenhuma "briga" por causa dos interditos.

Os desejos e os quereres dos filhos não são excludentes do desejo e do querer dos pais. Não pode acontecer que, para "não violentar" os filhos, os pais acabem "violentados" por eles. Quando se perde o fundamento simbólico de autoridade, desliza-se para a violência real. O que é terrível! Os pais respondem com seus músculos onde seria

(Educar filhos)

necessário usar a inteligência e o "músculo" mental. O adulto nunca é violento por onipotência, o é por impotência, quando afloram impulsos primitivos.

Os pais têm uma relação ambígua com a educação que receberam. De um lado, são gratos, pois acham que devem a ela o que são hoje; de outro, detestam-na, pois creem que essa educação foi falha em inúmeros aspectos. Assim, oscilam entre o lado infantil (a criança que foram) e a posição de adultos (os pais que são hoje).

O fato de alguns pais não conseguirem dizer "não" às vezes tem ligação com os desejos inconscientes que reverberam em sintomas infantis, produto do conluio entre o desejo materno e a sua satisfação por parte da criança.

Vitória, de 4 anos, tinha uma enurese muito peculiar. Independentemente do lugar da casa em que estivesse, gritava: "Mãe, quero fazer xixi, me leva ao banheiro". A mãe abandonava tudo e carregava a filha até o banheiro, mas ao chegar à porta do cômodo a menina urinava copiosamente no corpo da progenitora. Isso se repetia todo dia, até mais de uma vez. Na consulta, quando perguntei à mãe por que continuava com essa conduta se sabia como aquilo ia acabar, obtive a seguinte resposta: "É que ela é muito pequena e frágil!" A conversa posterior se desenvolveu no sentido de mostrar a ela a necessidade de negar o pedido da menina e romper a situação cristalizada. Sugeri que, quando a menina a chamasse, respondesse: "Eu confio em você, pode ir ao banheiro sozinha. Vou ficar feliz e orgulhosa". Nessa hora, apareceu o "mantra": "Doutor, você esquece que ela é pequena!"

A mãe não dizia "não" porque precisava que a filha permanecesse pequena para sempre. A criança percebeu a situação e inconscientemente passou a responder com o sintoma ao desejo materno. A ordem implícita era: "Não cresça!" E a resposta explícita era o xixi na mãe, como se fosse um bebê!

Resulta calamitoso que a impossibilidade de construir um limite, interditar uma conduta aberrante, não conseguir dizer "não" a um pedido repetido de uma criança envolvida por projeções maternas leve a uma situação tão caótica como essa, que lesa o desenvolvimento infantil.

É como diz uma canção do grupo Legião Urbana:

> Você me diz que seus pais não entendem
> mas você não entende seus pais.
> Você culpa seus pais por tudo, isso é absurdo
> São crianças como você [...]

Finalmente... O final (não é um epílogo)

O último capítulo está no fim, mas não é um epílogo. Este livro não começou nem acaba em si mesmo. Gerações passadas deram o "pontapé" inicial da escrita, os contemporâneos continuaram a escrevê-lo e as futuras o questionarão, mudarão alguns conceitos, mas continuarão preenchendo outras páginas com uma escrita que é atemporal e universal.

Repetindo Elisabeth Roudinesco, a família do futuro deverá ser mais uma vez reinventada.

Neste capítulo, que denominei o "coração" do livro, aponto valores aos quais não se pode renunciar: a liberdade, o respeito ao outro e fundamentalmente a ética – que não é nem deve ser um receituário de respostas moralizantes para os problemas do cotidiano. É verdade que a ética não serve para solucionar debates, mas ela com certeza colabora para iniciar toda e qualquer conversa.

Para finalizar (serei capaz?), usarei as palavras de um dos grandes escritores argentinos, Ernesto Sabato, sujeito ético até a medula, que disse numa conferência:

> Quando somos sensíveis, quando nossos poros não estão cobertos por implacáveis camadas, a proximidade da presença humana nos sacode, nos anima, entendemos que é o outro que sempre nos salva. E se chegamos

(*Educar filhos*)

à idade que temos é porque outros foram salvando nossa vida, incessantemente. Com a idade que tenho hoje, posso dizer, dolorosamente, que toda vez que perdemos um encontro humano uma coisa se atrofiou em nós ou se quebrou.

Esse homem, já com bem mais de 80 anos, explicou em uma conferência por que deixou de escrever e começou a pintar: "Na vida, tudo exige paixão".

Notas

1 In: *Folhas de relva*. Trad. Rodrigo Garcia Lopes. São Paulo: Iluminuras, 2005, p. 71.
2 "Manoel por Manoel". In: *Memórias inventadas – A infância*. São Paulo: Planeta, 2003, p. 5.
3 *Abandonarás teu pai e tua mãe*. Rio de Janeiro: Companhia de Freud, 2000.
4 São Paulo: Paz e Terra, 1997.
5 São Paulo: Summus, 1981.
6 *Poesia reunida*. Porto Alegre: L&PM, 1999.
7 *A família em desordem*. Rio de Janeiro: Zahar, 2003, p. 91.
8 "Os alunos". In: *De pernas pro ar – A escola do mundo ao avesso*. Porto Alegre: L&PM, 2009, p. 15.
9 *A outra voz: poesia e fim de século*. São Paulo: Siciliano, 1993.
10 "Presságio". In: *Poesias inéditas (1919-1930)*. Lisboa: Ática, 1956.

❧

Compartilho com Pablo Neruda a ideia de que ninguém passou por mim sem compartilhar. Àqueles que me "emprestaram" suas teorias, aos interlocutores de esclarecedoras conversas, aos que me ensinaram e aos que algo ensinei, meus mais sinceros agradecimentos:

Freud, Korczak, Hannah Arendt, Canivez, Barthes, Winnicott, Dolto, Lebovici, Zygmunt Bauman, Aberastury, Diego e Gilou García Reinoso, Aurora Perez, Carlos Giannantonio, Lea e Guilherme Bigliani, Cortella, Aldo Naouri, Morin, Kreisler, Fernando Savater, Rubem Alves, A. Jerusalinsky, Philippe Julien, C. Melman, Esteban Levin, Contardo Calligaris, Alicia Fernández, J. Volnovich, J. D. Nasio, Julio Moreno, François Ansermet, Spinoza, L. Bove, Ricardo Rodulfo, Octavio Paz, Graciela Crespin, M. C. Laznik, Bernard Golse, Claudia M. Fernández, Marcuse, Patricia Cardoso de Mello, Fernando Pessoa, Celso Gutfreind, Kafka, Saramago, Manoel de Barros, Pablo Neruda, Helen Keller, mulá Nasrudin, Chico Buarque e Sivuca, Quino e Mafalda, Rabelais, Eduardo Galeano, Martha Medeiros, Ernesto Sabato, Pichon Rivière, Mariangela de Oliveira, Gabriel García Márquez, Legião Urbana, Cecília P. da Silva, Giselle Groeninga, Hospital de Niños de Buenos Aires, Clínica Tavistock, Mari Carpossi, Roberto Azevedo, Sedes Sapientiae, Di Loreto, Sociedade de Psicanálise de São Paulo, Hospital Israelita Albert Einstein.

A todos os participantes (professores e alunos) do Instituto da Família. A Carlos Gioelli (em memória), meu ex-analista, gerente do caos e da angústia. Ao meu pai, que bem ou mal me educou.

Aos que por esquecimento não estão na lista, desculpem e obrigado!

Às famílias que atendi e muito me ensinaram com seu saber peculiar.

Por último, aos meus doces e sensíveis baluartes, sem cujo apoio e carinho quase nada seria possível: minha esposa, Susana, e minha filha, Luciana. Alicerces muito firmes durante meus dias de ansiedade, nos mal-estares e humores ácidos como homem, pediatra e "brincante" de escritor. Muito obrigado!

✧

O trabalho "braçal" da escrita
deste livro demandou seis meses.
Mas começou a ser pensado e
formatado há quatro décadas.

Agradeço imensamente a Mariana Setúbal,
que com sua dupla leitura
de jornalista e de mãe
tornou o livro palatável para as famílias
e respeitoso para com a língua portuguesa.

www.gruposummus.com.br